LA RUCHE QUI DIT OUI !

L'ÉTAPE D'APRÈS

1 000 IDÉES POUR RÉUSSIR SA TRANSITION
ÉCOLOGIQUE À LA MAISON

MARABOUT

ÉDITO

> *L'espoir est contagieux,*
> *comme le rire.*
> Joan Baez

Il vous arrive de vous poser la question, pas seulement en vous brossant les dents ? On vous le dit comme un seul homme, ou d'une même voix… **L'espoir existe ! Dans l'action.** Pas de petits choix, en apparence, sans grandes conséquences.

Demain commence dans une poubelle. La vôtre. D'abord, en arrêtant de la nourrir. Et puis quand les bons produits, locaux et de saison, trônent à table, rapidement, c'est logique : restes et épluchures deviennent la base, en cuisine comme au jardin ou même dans la salle de bains.

De l'antigaspi malin à la sobriété heureuse, il n'y a qu'un pas. Ou plutôt, un parcours : celui d'un mangeur gourmand et conscient vers un futur désirable.

À *la Ruche qui dit Oui !*, on est convaincus que **l'alimentation est la première étape vers une transition plus globale**, qui intègre l'un après l'autre tous les pans de la vie quotidienne et domestique.

Souvent, au sein de notre communauté, nous en avons fait l'expérience. Nous avons même créé un média, *Oui ! magazine* qui a pour but de nourrir la réflexion autour des enjeux de l'alimentation, de l'agriculture et des nouveaux modes de vie. En cette année où nous célébrons **10 ans d'amour des circuits courts** et d'éducation joyeuse dans l'assiette, l'envie d'en faire un livre nous a pris. Comme une évidence, doublée du désir de partager ces astuces et ces outils d'émancipation avec le plus grand nombre. Vous le tenez, là.

Prêt à passer à l'étape d'après ?

SOMMAIRE

RÉDUIRE SES DÉCHETS   8

FAIRE SOI-MÊME   54

LIMITER SON EMPREINTE CARBONE 90

FAVORISER LA BIODIVERSITÉ 132

S'INITIER À LA DÉCROISSANCE 168

RÉDUIRE SES DÉCHETS

Votre poubelle déborde ?
Déchets verts, produits périmés, restes
de petits plats abandonnés… tout ce beau
monde a le droit à une seconde chance.

On dit oui aux céréales fossilisées
qui traînent dans le placard depuis 1984,
oui aux vêtements troués et abîmés,
oui aux fonds de bouteilles des lendemains
trop arrosés.

Votre nouveau crédo ? Faire durer, réutiliser,
recycler, composter…

CONSERVER FRUITS ET LÉGUMES

Vous êtes plutôt courgettes enfouies au fond du frigo ou échalotes laissées à l'air libre sur l'étagère ? Voici nos trucs et astuces pour bien conserver vos fruits et légumes.

DE L'AIR !

Saviez-vous qu'une fois cueillis nos fruits et légumes continuent de « respirer » ? Certains, plutôt claustrophobes, détestent le frigo et préfèrent l'air ambiant de la maison ou, encore mieux, celui de la cave et ses 7 à 10 °C. Dans cette catégorie : oignons, ail, rutabagas, potirons (et autres courges), pommes de terre… Petite astuce : ne jamais entreposer les pommes de terre avec les oignons, qui les font mûrir trop vite.

L'AFFAIRE EST DANS LE SAC

Dans le bac à légumes, les champignons doivent être enveloppés frais, non lavés, dans des tissus ou des torchons. Pour conserver les asperges fraîches plusieurs jours, emballez-les dans du papier absorbant humide. Un pschitt d'eau sur les artichauts, et zou au frigo ! Rassurez-vous, il y a aussi des légumes qu'on peut ranger directement : poivrons, aubergines, courgettes, concombres…

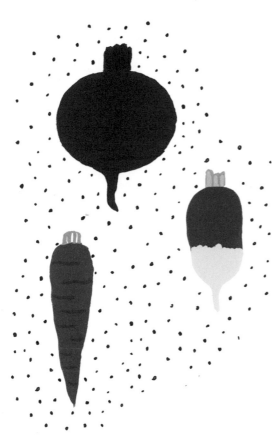

LES LÉGUMES *RACINES*

Avant d'entreposer vos légumes racines (carottes, radis, betteraves) dans le bac à légumes, coupez leur feuillage. Mieux : vous pouvez aussi les placer dans un bac contenant du sable pour favoriser leur conservation.

NO FRIGO

On oublie le réfrigérateur pour les bananes, qui noircissent avec le froid, ou le melon, qui peut alors perdre jusqu'à 80 % de son parfum. Idem pour les abricots, les nectarines, les fraises et les tomates, qui perdent aussi de leur saveur. Pour ces dernières, si vous les aimez fraîches, passez-les par le bac à légumes de votre frigo quelques heures avant de vous mettre à table.

ASSOCIATIONS DE BIENFAITEURS

Certains fruits, comme les cerises, les fraises ou le raisin, ne mûrissent plus une fois cueillis, alors que d'autres – tomates, bananes, kiwis, prunes, pêches –, si. Pourquoi ? Parce que ces derniers produisent naturellement du gaz éthylène, qui entraîne leur mûrissement ainsi que celui de leurs voisins… Aussi, si vous voulez faire mûrir plus vite une poire, placez-la dans un sac en papier à côté d'une pomme, championne du monde de production d'éthylène, et c'est gagné !

RECYCLER LES DÉCHETS VERTS

*À la maison comme au jardin, on recycle.
Tout doit être va-lo-ri-sé. En piste !*

LE CYCLE DE LA VIE

Ce sont des épluchures de légumes qui finissent dans le composteur du jardin, à mélanger avec des déchets bruns (feuilles, brindilles, carton), puis qui viennent enrichir la terre pour faire pousser de nouveaux légumes (voir p. 24). Pas bête, quand même.

TONTE DE GAZON

Placez au compost votre herbe coupée pour accélérer la décomposition des épluchures de légumes. Elle servira également de paillage au jardin potager (ça permettra de moins arroser) ou au pied des haies (pour éviter la prolifération des mauvaises herbes).

AUTOMNE SANS RÂTEAU

Les feuilles mortes tombent sur la pelouse de votre jardin ? C'est normal, c'est de saison, paraît-il. Déplacez-les sur les carrés de votre potager pour en enrichir la terre tout l'hiver.

PAILLAGE BOISÉ

Broyez dans un broyeur (logique imparable) tous vos déchets boisés. Avec les copeaux obtenus, paillez au printemps pour éviter de désherber le potager ou nourrissez votre compost de ce festin de matière sèche.

BBQ ET CENDRES-ENGRAIS

À l'aide d'un grillage fin, séparez les charbons de bois et les cendres fines de la cheminée. Utilisez le charbon dans le barbecue et étalez les cendres dans le jardin potager.

RÉDUCTION DE HAIE

Certains types de haie (laurier, troène) produisent un volume considérable de branches et de feuilles. Réduisez d'abord le volume des déchets verts en séparant les tiges des feuilles. Voilà. Le volume qui partira à la déchèterie a été divisé par deux. Les feuilles : direction le compost !

MOTEL À INSECTES

Entassez branchages, feuilles, sciure de bois ou même grosses pierres dans un coin du jardin (voir p. 155 et 167). Les insectes s'en feront une joie !

BUTTES DE CULTURE

Enterrez branches ou bûches pour créer des buttes de culture au potager, plus ergonomiques pour le dos, et qui conservent en leur sein l'eau propice à la croissance de votre future salade printanière.

FÊTE ARDENTE

Le cageot de fagots de bois récupéré de la taille de vos haies (hormis le laurier et le troène, toxiques) permettra d'allumer les feux de cheminée cet hiver (ou un grand feu de joie dans le jardin, à votre guise).

PIQUE-NIQUE ZÉRO DÉCHET

Organiser un pique-nique sans laisser une montagne de déchets derrière soi, c'est possible !

SERVIETTES MULTI CASQUETTES

Pensez aux bonnes vieilles serviettes à carreaux de chez mamie pour protéger votre boîte d'œufs à l'aller, vous essuyer les mains pendant le repas et emballer votre vaisselle sale ensuite. Quel voyage !

BAS LES PAILLES

Fini, les pailles en plastique qui atterrissent au fond des océans ou dans le nez des tortues. Si l'on est vraiment accro, le mieux est de se tourner vers une version durable en inox ou d'utiliser un vrai brin de paille glané sur le lieu du pique-nique.

KIMONO POUR BOUTEILLES

Les épaules solides, vous choisissez d'assumer le poids d'une bouteille de vin. Pour ne pas la briser, place à une technique japonaise de pliage. Posez votre beaujo au centre d'un linge carré. Deux coins opposés sont à nouer au-dessus du goulot, les deux autres, autour du ventre, comme deux bras qui entourent pour un câlin.

FONTAINE DE JOUVENCE

Pour l'eau du robinet, il y a la gourde ; et pour le vin ? Plusieurs cavistes le proposent en vrac, permettant de se servir avec n'importe quel contenant plus léger que le verre. Idéal pour s'en coller un petit en solo et prétendre qu'on pensait que c'était de l'eau.

SAC PÂTISSIER

Pour réaliser votre sac à tarte, un vieux tote bag fera l'affaire. Coupez une anse et mettez-le à l'horizontale, ouverture sur le côté, à gauche. Cousez l'anse coupée à droite de façon à pouvoir conserver le sac couché. Pardon, la tarte n'est pas fournie avec ce tuto.

AU DOIGT ET À LA BAGUETTE

N'est-il pas pire ustensile qu'un couteau en plastoc pour couper une miche de pain ? N'est-il pas pire qu'une fourchette en bambou qui râpe le palais et donne un goût d'étagère Billy à tout le repas ? À la place, optez pour une paire de baguettes légères ou pour vos doigts, encore plus faciles à transporter.

DANSEZ, MAINTENANT

Plutôt que de vous laisser happer par le chant du plastique, prenez part à la danse des abeilles. Placez une feuille de papier sulfurisé sur votre table à repasser, un tissu en coton pas trop épais par-dessus, quelques pastilles de cire d'abeille et une autre feuille de papier sulfurisé pour couronner le tout. Repassez sans vapeur à température moyenne. Une fois le mélange fondu, retirez les papiers sulfurisés et récoltez votre *bee wrap* ! Emballé ?

9 bonnes idées autour de

L'ARTICHAUT

Délicieux légume fleur, il est souvent boudé par les mangeurs. Faites-lui une fleur, et goûtez à sa subtilité méprisée.

1 CHOIX DU ROI

Comment reconnaître un bon sujet ? Pour apprécier sa densité, signe qu'il a été fraîchement cueilli, soupesez-le, vérifiez la rigidité de sa queue. Et hop, dans le panier !

2 GRANDE TIGE

Si vous ne lui coupez pas la tige, l'artichaut restera trois bons jours au frigo. Vous n'avez plus de bac disponible ? Pas de frigo ? Le ciel soit loué, il vous reste un vase. Mettez-lui les pieds dans l'eau. C'est une fleur, après tout.

3 TEMPS DE CUISSON

Dur à cuire, mais simple à préparer. Ne coupez pas la tige de l'artichaut, éliminez les premières feuilles. Combien de temps, la cuisson vapeur ? Tout dépend de la taille, du volume d'eau et du nombre d'artichauts qui barbotent. Tout de même, voici une fourchette (inutile pour l'engloutir) : comptez entre 20 et 40 min. Détachez quelques feuilles et goûtez. C'est tendre tout en étant légèrement ferme ? Parfait ! Laissez refroidir dans l'égouttoir.

4 VINAIGRETTE DE COMPÉT'

Coupez 2 tomates en petits cubes. Ciselez 2 échalotes et une poignée de roquette. Versez tous les ingrédients dans un bol et couvrez d'huile. Salez, poivrez. Ajoutez le zeste et le jus de 1 citron. Répartissez sur les fonds d'artichaut. Savourez avec une salade verte et quelques fleurs de bourrache, par exemple.

5

ARTICHAUT POIVRADE

Armez-vous d'un bon couteau. Coupez la tige à 5 cm du capitule (la tête). Éliminez environ deux tiers des bractées (les feuilles – on vous en apprend, des mots !). Coupez en deux le capitule (ok ?). Tranchez la base des bractées éliminées et épluchez la tige. Les voilà prêts à cuire, tout simplement poêlés à l'huile d'olive avec un peu d'ail.

6

POTAGE RÉCUP'

Jetez les premières bractées dans une casscrole d'eau bouillante salée avec 2 pommes de terre et 1 courgette. Faites cuire pendant 20 min. Écartez courgette et pommes de terre pour une prochaine purée. Filtrez le reste en pressant sur les parois pour obtenir le maximum de la chair des bractées. Mixez l'ensemble avec une lichette de crème.

7

ANTI-GUEULE DE BOIS

Quand vous mangerez un artichaut, anticipez la prochaine cuite en mettant de côté les grandes feuilles. Prévoyez 1 c. à s. de feuilles sèches pour 1 tasse à thé d'eau froide. Laissez bouillir 2 min et infuser 10 min avant de filtrer. Notez que cette tisane au goût amer contrastera sans aucun doute avec les ballons de rouge enfilés la veille…

8

POUR NE PAS BROYER DU NOIR

Vert d'artichaut deviendra noir. Ce pourrait être un dicton, mais il s'agit juste d'une triste réalité. Pour éviter que votre légume noircisse, plongez-le dans un bol d'eau citronnée au fur et à mesure des étapes.

9

STOP AU FOIN

Bête à manger du foin ? Non. Soyez plus malin, emparez-vous d'une cuillère à soupe pour déplumer l'artichaut. Plongez en plein cœur et virez le foin du légume, ce qui évitera un sourire poilu à votre voisin de table.

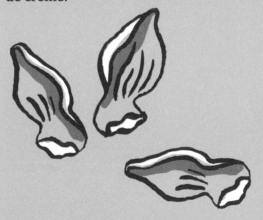

RÉDUIRE

Un moment d'inattention,
un geste précipité et vous voilà
dans « Cauchemar en cuisine ».
Pas de panique : on a tout ce qu'il faut
pour recycler, rattraper,
voire sublimer vos ratés !

RÉCUPÉRER CE QU'ON A RATÉ

LÉGUMINEUSES OUBLIÉES SUR LE FEU

Oups, si vos lentilles ressemblent à de la bouillie, transformez-les en soupe ! Prélevez-les à l'aide d'une écumoire avec un peu de jus de cuisson. Il s'est complètement évaporé ? Émiettez un cube de bouillon de légumes ou de poule bio dans de l'eau bouillante. Mixez en versant au fur et à mesure le jus ou le bouillon jusqu'à obtenir la consistance souhaitée. Passez au chinois pour éliminer les petites peaux.

RATTRAPAGE DE MAYONNAISE

Vous avez raté votre mayo ? Ne ratez pas la séance de rattrapage. Prélevez un peu de votre mayo ratée, versez 1 c. à c. de vinaigre blanc bouilli, fouettez-les ensemble et ajoutez progressivement le reste de la mayo. Le tour est joué !

RIZ TROP CUIT

Ce n'est plus du riz, mais de la colle ? Parfait pour réaliser des tuiles ! Égouttez le riz. Versez-le dans un bol et assaisonnez-le généreusement : sel, poivre, épices, quelques graines de lin ou de sésame, et un peu d'huile d'olive. Mélangez bien. Déposez une cuillerée de riz sur une feuille de papier sulfurisé. Recouvrez d'une seconde feuille de papier et, à l'aide d'un rouleau, étalez-en une fine couche. Placez sur une plaque de cuisson. Retirez la feuille du dessus. Enfournez dans un four préchauffé à 220 °C pour 12 min. Retournez à l'aide d'une spatule. Poursuivez la cuisson pendant 8 min environ. Les tuiles doivent être bien dorées.

PLAT MIJOTÉ TROP SALÉ

Si la salière s'est renversée dans le bœuf bourguignon, alors ajoutez à la marmite des rondelles de pain ou de pommes de terre crues. Elles vont agir comme du papier buvard. Poursuivez la cuisson pour qu'elles absorbent le surplus de sel. Retirez-les avant de servir. Ni vu ni connu.

AU SECOURS, ÇA BRÛLE

Vous avez un peu trop forcé sur le curry ? Pour adoucir votre plat en sauce, pensez à y ajouter une pincée de sucre semoule. Ou bien quelques morceaux de pain. Goûtez… et respirez, vous venez de sauver votre curry de légumes !

tada !

RÉDUIRE

FAIRE AIMER LES LÉGUMES AUX MARMOTS

*C'est la soupe à la grimace à la maison dès qu'un légume passe à table ?
Redonnez le sourire à vos enfants en usant de ces 9 petites stratégies.*

GOÛTER

Oui, il est fortement conseillé de chiper dans le plat ou de lécher la cuillère pendant la préparation pour sensibiliser les enfants aux différentes saveurs (amer, salé, sucré, salé, acide), aux textures (lisse, sableux, velouté, croquant). Sollicitez leur avis d'expert pour ajouter la touche manquante.

FAIRE PLAISIR

Les enfants adorent tout ce qui croustille. Panais ou betterave se transforment en frites ou en chips. Emballez les haricots verts dans une tranche de bacon puis dans une feuille de brick beurrée, et hop au four ! Panez les asperges ou les aubergines. Cuisinez les salsifis et les courgettes en beignets. Ok, c'est pas très *light*, mais tellement plus gourmand, non ?

DÉCORER

Le moment le plus gratifiant et le plus créatif de la préparation ? Le dressage. Mettez-les au défi de composer un paysage ou un portrait à la manière d'un tableau gourmand. Manger, oui, mais d'abord avec les yeux.

RUSER

Il ne jure que par les pâtes bolo ? Glissez une quantité homéopathique de courgette ou de carotte. Ça passe ? Augmentez la dose à chaque nouvel essai. Idem pour le gratin dauphinois avec du céleri ou la purée de pommes de terre avec du brocoli.

VELOUTER

Le rejet est peut-être une question de texture plutôt que de goût. Une soupe de poireaux pleine de fils ? Faites appel au chinois. Mixez puis tamisez finement. La botte secrète ? La courgette ou la courge butternut : quelques cubes dans une soupe et vous obtenez une texture veloutée. Sans beurre et sans reproche !

TREMPOUILLER

J'aime pas la salade… Souvent en cause, l'acidité de la vinaigrette. Si l'essai avec le vinaigre balsamique ne marche pas mieux, élaborez ensemble SA sauce avec les ingrédients qu'il aime : fromage blanc, yaourt, purée d'oléagineux, mayonnaise ou ketchup. Du moment qu'il adore y trempouiller ses bâtonnets de crudités…

IMAGINER

Une coque de feuille d'endive, de salade ou de tomate. Laissez-lui le choix des rames : thon, œuf dur, cubes de jambon, fromage, mayonnaise pour la garnir. Tout ce qu'il veut, du moment que le bateau arrive à bon port !

SUBSTITUER

Il adore la pizza ? Changez le coulis de tomate par un coulis de butternut, poivron rouge, panais ou carotte, selon la saison. Leur saveur douce, presque sucrée, élargit la palette de couleurs et c'est 4 nouveaux légumes apprivoisés !

ADOUCIR

Adoucissez un gratin de navets avec des lamelles de poire, un carpaccio de courgettes avec des quartiers de pêche, une salade de chou avec du raisin. Les fruits sont les meilleurs alliés pour qu'il aime les légumes.

Plutôt que de vous embêter à racheter chaque mois les mêmes produits, pourquoi ne pas les fabriquer ? C'est très simple, économique, et c'est zéro déchet. Vous ne serez pas peu fier de voir vos yaourts, vinaigres et autres sucreries trôner dans les placards de la cuisine.

BASIQUES POUR MALINS RADINS

JARDIN À L'EAU

Cueillez quelques tiges de menthe, mélisse, romarin, basilic et sauge. Mettez le tout dans une casserole avec 600 g de sucre et 60 cl d'eau. Portez à ébullition, baissez le feu et faites chauffer 10 min. Laissez refroidir, filtrez, dégustez. Hop, fini les sirops du commerce !

BONBONS DE VIEILLE BRIQUE

Un vieux jus de pomme qui traîne ? Faites-en des bonbons ! Portez à ébullition 1,5 litre de jus avec 2 g d'agar-agar pendant 2 min. Mélangez avec 50 g de sucre. Versez dans des bacs à glaçons et réservez au frais. Dégustez.

LAIT SANS VACHE

Faire son lait d'avoine pour 30 centimes en 1 min, c'est possible ! Il vous faut 100 g de flocons d'avoine bio et 1 litre d'eau. Mixez le tout dans un robot et filtrez avec un tamis. À vous les bons petits déjeuners !

VINAIGRE POUR MA POMME

Savez-vous qu'on peut réaliser du vinaigre de cidre avec des trognons de pommes et des épluchures ? Dans un bocal en verre, mettez vos restes de pommes bio jusqu'aux trois quarts du récipient, ajoutez 1 c. à s. de vinaigre et recouvrez d'eau. Fermez avec un tissu et patientez 3 à 6 semaines. Récupérez le liquide, jetez au compost les épluchures et recommencez.

PARMESAN SANS FROMAGE

Qu'on se le dise, cette recette est basique, ultra-simple et rapide. Mixez 100 g de noix de cajou non salées, 1 c. à c. de sel et 2 c. à s. de levure maltée jusqu'à l'obtention d'une poudre. Délicieux avec un bon plat de pâtes.

YAOURT AU FOUR

D'accord, les yaourtières se vendent comme des petits pains (et les machines à pain comme des yaourts nature), mais on peut aussi s'en passer. Faites chauffer 2 litres de lait à 80 °C. Laissez refroidir entre 45 et 50 °C (vous devez pouvoir y plonger votre doigt environ 10 secondes). Ajoutez un yaourt. Mélangez et versez dans des pots en verre. Enfournez sur une lèchefrite à 40 °C pour 3 heures de cuisson. Éteignez le four et laissez reposer encore 3 heures sans ouvrir la porte. Sortez les pots, fermez-les et placez-les au frigo.

LA FIN DU SUCRE VANILLÉ
À PRIX SALÉ

Avez-vous déjà vu le prix au kilo du sucre vanillé ? Si non, ne perdez pas votre temps à consulter les rayons : mettez plutôt 200 g de sucre dans un bocal et fendez-y 1 gousse de vanille. Ajoutez du sucre au fur et à mesure et à volonté pendant 1 an.

RÉDUIRE

Faire son
LOMBRICOMPOSTEUR

Les vers de terre sont capables d'ingurgiter une quantité phénoménale de matière organique. En plaçant ses déchets alimentaires dans des bacs superposés, une famille de 4 personnes parvient à transformer ses déchets annuels en 40 kg de compost solide d'une excellente qualité et en 40 litres d'un liquide appelé thé de compost. Ce liquide est un fertilisant puissant, à diluer 10 fois avant utilisation.

Attention, l'utilisation prolongée de ce dispositif aura des impacts sur votre régime alimentaire : vous aurez envie de consommer davantage de fruits et légumes afin de laisser plus de restes à vos vers !

La méthode

1. RINCER LES BACS

Placez-les à l'extérieur
pour que leur odeur de poisson
s'estompe.

L'équipement

- **4 bacs blancs en polystyrène** à récupérer chez un poissonnier ou à la fin des marchés. Vérifiez qu'ils ne sont pas percés.
- **Un couvercle** de l'un de ces bacs
- **Un cutter** ou un couteau pour les découpes
- **Un reste de grillage fin**
- **Des vers** à récupérer chez un autre pratiquant du lombricompost, par exemple via le site **plus2vers.com**

2. TROUER

Percez le fond de 2 bacs de gros trous, de la circonférence d'une boîte de conserve. Recouvrez ces trous de grillage. Les déchets pourront ainsi s'écouler au fur et à mesure de leur décomposition. Ces bacs seront destinés à recevoir les épluchures, coquilles d'œuf, marc de café et autres petits morceaux de cartons non traités.

3. TROUER ENCORE

Percez le fond du troisième bac de trous de 5 mm de diamètre environ : de quoi laisser passer les vers et permettre au thé de compost de s'écouler. Le quatrième et dernier étage, celui du bas, doit rester étanche et non percé : il va recevoir le thé de compost.

4. MEUBLER

Placez les vers dans le bac supérieur, avec au moins 500 g de déchets alimentaires. Fermez-le avec un couvercle.

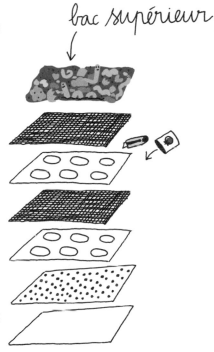

bac supérieur

Utilisation

Vous pouvez placer votre lombricomposteur à l'extérieur quand il fait plus de 10 °C. Sinon, à l'intérieur : il ne dégage pas d'odeur quand il est bien entretenu. En une dizaine de jours, les vers vont trouver leur rythme de croisière. Quand le bac n° 1 est plein, videz-en une bonne partie dans le n° 2, à l'aide d'une pelle. Quand le n° 1 sera à nouveau plein, vous pourrez placer le contenu du n° 2 dans le n° 3, et verser le contenu du n° 1 dans le n° 2. Après quelques semaines, vous obtiendrez du compost dans le bac n° 3 et du thé de compost en dessous.

SES DÉCHETS |

RÉDUIRE

LOMBRICOMPOSTEUR SANS ENVAHISSEURS

Inviter des vers de terre dans son entrée pour boulotter ses déchets de cuisine ? Bonne idée. Mais quand les mouches noires et les sciarides débarquent, vite, il s'agit de leur couper l'appétit !

CHASSE AU TRÉSOR

Chaque fois que vous déposez des épluchures dans le compost, recouvrez-les d'un peu de carton ou de terreau. Les mouches ne sont pas super fortes pour aller à la chasse aux déchets.

EN ENTRÉE PLUTÔT QU'EN DESSERT

N'attendez plus la fin du repas pour mettre vos épluchures dans le lombricomposteur. Hop, on les glisse juste après avoir épluché les légumes. Ainsi les mouches n'ont pas le temps de pondre dessus.

CARTON PLEIN

Le lombricomposteur se rapproche plus du marécage que du jardin potager ? Mettez de la sciure, qui absorbe les odeurs et l'humidité. Si cela ne suffit pas, dites au revoir aux pommes, poires, prunes et autres fruits délicieux (ou jetez vos trognons ailleurs que chez les vers).

PASSER L'ÉPONGE

La mouche est une mère poule. Elle se blottit avec tous ses petits dans votre compost d'appartement et en fait un charmant cocon. Pour un infanticide en bonne et due forme, passez un coup d'éponge sur les surfaces de votre compost. C'est cruel, mais ça marche.

RÉGIME ZÉRO DÉCHET

Mettez votre composteur à la diète pendant un mois. Le temps que les mouches disparaissent et que les œufs en soient débarrassés. En d'autres termes, il s'agit de tuer la poule dans l'œuf.

VOYAGE *EN TERRAIN CONNU*

Vous avez tout essayé, mais l'envie d'envoyer valser votre colonie par-dessus le balcon ne vous passe pas ? Bravo, vous avez trouvé la solution ! En douceur, déplacez tout ce beau monde dans la cour de l'immeuble, dans le jardin, sur le balcon, partout où vous avez des plantations.

MÉNAGE DE TOUT TEMPS

Badigeonnez le composteur de savon noir ou d'huile essentielle de lavande en guise de répulsif. En plus, ça nettoie toute la maisonnée (dans la mesure où vous acceptez de donner quelques coups de serpillière en contrepartie, bien sûr).

DE L'AIR !

Pour éviter une macération chère aux envahisseurs, limitez le contact entre vos épluchures et les autres déchets. Mélangez-y de la paille et des feuilles sèches, voire des branches coupées grossièrement pour favoriser une bonne aération. Inspirez, c'est réglé.

LE PIÈGE DE L'APÉRO

Posez une bouteille avec un fond de vin à côté du lombricomposteur pour attirer les mouches à fruits. Puis buvez une bonne rincée de pif – d'une autre bouteille – pour vous féliciter de cette idée.

RÉDUIRE

Votre riz brun sent le rance et vos flocons d'avoine vous semblent un peu trop humides pour être honnêtes ? N'en jetez plus ! Après la date de péremption, la vie continue.

UTILISER
DES CÉRÉALES
PÉRIMÉES

CHAUD DEVANT

Pour fabriquer une bouillotte sèche, versez épeautre, blé, riz ou orge fatigués dans une serviette en tissu placée dans un bol. Rabattez les bords pour former une bourse. Maintenez-la avec un élastique ou une ficelle pour faciliter sa fermeture. Placez au four, sur un radiateur ou au micro-ondes pour la chauffer.

PENSEZ AUX PIAFS

Donnez un coup de pouce aux oiseaux en hiver ! Concassez des oléagineux et des grains de millet, blé, orge ou maïs, et mélangez avec des flocons d'avoine ou de sarrasin, des graines de tournesol et un peu d'huile de colza. Ajoutez éventuellement des fruits abîmés, de préférence des pommes et des poires. Placez dans des coupelles sur votre balcon, votre jardin ou même vos rebords de fenêtres.

FLAPI, *LE CRUNCHY?*

La boîte de céréales du petit déjeuner est comme vous au réveil : un brin flapie. Allez prendre une bonne douche pendant que son contenu trempe dans un bain (et laissez mariner toute la journée). Comptez 1 litre pour 250 g de céréales. Mixez, filtrez. Une bouteille de lait végétal est née.

GRAINES SOUVERAINES

N'ayons peur de rien : un rouleau de papier toilette peut devenir un soliflore. Mélangez 25 g de farine avec 5 cl d'eau à température ambiante. Versez le tout dans 20 cl d'eau en ébullition. Faites cuire 3 min en remuant, puis laissez refroidir. Enduisez la partie extérieure du carton avec cette colle végétale à l'aide d'un pinceau. Parsemez de graines variées (de blé, d'orge, de sarrasin, de millet…). Laissez sécher. Installez le soliflore debout fièrement au milieu de la table, une fleur ou un mince bouquet en son sein.

PORRIDGE DU LENDEMAIN

Pas le temps de préparer votre petit déj' à l'aube et vous n'avez que des flocons d'avoine humides ? La solution : recouvrez-les d'eau et ajoutez des amandes, un peu de sel et de miel. Après une nuit au frigo, votre porridge hyper nutritif est prêt, sans cuisson !

COUP DE BARRE

Pour les randonneurs de la première heure et les gourmands de la dernière : mixez 100 g de céréales qui traînent au fond du paquet, 150 g de dattes séchées, 100 g de noix, de la cannelle, 1 c. à c. de sel. Quand la pâte est homogène, versez dans un moule à cake graissé. Mettez au frigo avant de découper en 6 à 8 parts. Les barres se gardent au frais pendant des semaines.

POUDRE TOUTE SAISON

Vieilles noisettes, amandes, noix… passez ces fruits d'automne au four pour qu'ils dorent comme des touristes sur la Côte d'Azur en plein mois de juillet. Mixez-les une fois refroidis. Et hop, une poudre pour assaisonner yaourt ou salade toute l'année.

RÉDUIRE

BONNE MINE AU NATUREL

Vous n'aimez pas gâcher, vous aimez manger, et aussi prendre soin de vous. Alors voici l'activité parfaite : piocher les restes de votre frigo et les appliquer dans un ordre savant de la tête aux pieds.

UNE SOUPE SUR LE CHEVEU

Votre crinière aux reflets bruns manque d'éclat ? Ne faites pas la grimace, recyclez votre soupe à l'oignon ! La recette : 1 litre d'eau et les pelures de 4 oignons, à porter à ébullition pendant 5 min et à laisser infuser jusqu'à refroidissement. À utiliser en eau de rinçage après votre shampoing (inutile cependant d'y ajouter des croûtons).

CAROTTE AIMABLE

Connaissez-vous le cri de la carotte ? Pour le découvrir, il faut en extraire le jus. Si vous n'entendez rien, ce n'est pas grave, étalez la mixture en lotion sur votre visage pour une peau de pêche.

SOURIRE DE PLOMBIER

Prenez tant pour tant de bicarbonate de soude et de jus de citron. Mélangez. Brossez au choix l'évier ou vos dents, selon ce que vous voulez faire briller.

POUDRE NATURE

La cannelle s'acoquine parfaitement avec de la farine de riz ou de l'argile blanche, voire avec un peu de cacao cru. De ces unions épicées naît une poudre libre pour parfaire le teint. Prenez le soin de ne pas laisser de grumeaux (sinon, passez votre poudre dans un tamis). Pour obtenir la teinte escomptée, rehaussez-la en ajoutant un peu de cacao ou, au contraire, augmentez la part de farine de riz. À conserver 3 mois environ, à l'abri de l'air.

MASSAGE EXOTIQUE

Prenez une peau de banane. Saupoudrez son côté intérieur de sucre de canne blond et passez ce gant naturel aussi hydratant qu'exfoliant sur l'ensemble de votre corps. Laissez poser quelques minutes avant de rincer à l'eau claire.

GOMMAGE CAFÉ

Un petit café pour enlever les points noirs ? Euh, d'accord, mais alors bien serré. Faites-vous un bon café. Mélangez le marc à du vinaigre de cidre. Massez et rincez.

CHEVEUX MASQUÉS

Faites bouillir une dizaine de feuilles de laitue et une poignée de persil frais dans 25 cl d'eau pendant 5 min. Laissez tiédir puis filtrez. Tartinez votre cuir chevelu de ce bouillon fade (goûtez pour avoir la certitude qu'il sera mieux sur votre crâne que dans votre estomac) et laissez poser 15 min sous une serviette.

SUEURS ANISÉES

Dans un petit saladier, versez de l'eau chaude sur une poignée de graines de fenouil moulues. Placez le visage au-dessus et recouvrez votre tête d'une serviette pour profiter des vapeurs hydratantes et tonifiantes (ou pour jouer à cache-cache). Filtrez l'eau après usage et gardez-la au réfrigérateur. C'est une excellente lotion de jour.

DE LA MIE POUR L'ENDORMI

Le pain rassis est à réserver à vos lendemains difficiles. Imbibées d'eau et de lait frais entier, 2 tartines sur vos cernes sauveront votre journée (sauf si vous oubliez de les retirer). Notre conseil : évitez de vous faire surprendre avec vos lunettes de pain perdu par votre amoureuse ou amoureux. Attendez dix ans d'union pour tout avouer. Pas moins.

COCKTAIL *DOUBLE EFFET*

Après une rude journée de boulot, vous hésitez entre les dents-pipi-au lit ou gin tonic-pipi-au lit ? Coupez la poire, ou plutôt le concombre, en deux : parfumez votre cocktail avec la chair du concombre et bidouillez-vous un démaquillant avec ses épluchures, mixées puis filtrées, auxquelles vous aurez ajouté 1 c. à s. de lait en poudre et un peu d'eau. Connaissez-vous l'expression « faire d'un concombre deux coups » ?

SES DÉCHETS

RÉDUIRE

10 bonnes idées autour du

CITRON

Une fois son jus bu, que faire du citron ?
Voici un zeste de bonnes idées pour presser
l'agrume comme un citron,
jusqu'à la dernière goutte.

DÉSODORISANT 1

Commencez par laisser traîner
vos doigts partout, puis constatez
qu'ils ne sentent pas très bon.
Frottez-les avec des restes de citron
pressé. Vous voilà débarrassé
des mauvaises odeurs.

HALEINE FRAÎCHE 3

Après la pause déjeuner
(ou même avant, d'ailleurs), rincez-vous
la glotte d'un jus de citron pur, frais ou
en bouteille, pour une haleine agréable.
L'acide citrique se mettra en chasse
acharnée des bactéries qui avaient
peut-être élu domicile derrière
une molaire ou deux.

2 ÉPICE CITRONNÉE

Avant de le presser (quand il est
encore vaillant et le torse bombé),
zestez le citron. Conservez le butin
à l'air libre. Quand le tout fait crac sous
la pression du doigt, c'est sec : direction
le mixeur. Cette poudre parfumée peut
rejoindre le placard à épices !

4 DÉSODORISANT BIS

Retroussez vos manches,
il n'y a pas de pain sur la planche,
mais du citron. Coupez-le en deux
et frottez la pulpe sur votre planche
à découper en bois pour lui ôter
le souvenir trop prégnant d'une gousse
d'ail ou d'un bulbe d'oignon.

8 BATTERIE ÉTINCELANTE

Emparez-vous d'une moitié de citron
et d'un peu d'huile de coude
pour frotter. Prenez
ensuite vos lunettes
de soleil et admirez
la brillance de vos
ustensiles en inox,
cuivre ou acier.

5 ANTITACHE

Myrtille, framboise, cerise,
groseille ont rosi vos doigts
de plaisir pendant la cueillette ?
Lavez-vous les mains au jus de citron
pur pour en effacer toute trace.
Un excellent moyen pour manger
tous les fruits sur place et rentrer
bredouille sans éveiller les soupçons.

9 ALLÔ CITRON, BOBO

Une vilaine cicatrice = un gentil citron.
Faites confiance à cette équation pour
désinfecter vos plaies, de la petite coupure
à la piqûre d'insecte, grâce à quelques
gouttes de jus de citron sur un tissu
ou un coton propre.

MANUCURE EXPRESS 6

Juste avant d'envoyer
valser votre citron usagé au compost,
offrez-vous un instant manucure
au-dessus des déchets. Plongez-y
le bout des doigts et baladez-vous dans
ce qu'il reste de la bête, quitte à récolter
un peu de pulpe sous les ongles. Et hop,
vos ongles sont tout propres.

PEAU DE PÊCHE 10

« Oui à la peau d'agrume ! » Clamons
ce slogan en chœur, un citron dans chaque
main. Un coton imbibé d'un peu de jus
passé sur le visage concurrencera les soins
de beauté les plus plébiscités
contre l'acné ou la peau
grasse, les campagnes
de pub en moins.

LA FIN D'UNE MITE

Les mites ont niché dans vos
lentilles, parmi vos grains
de riz, entre vos graines ? Laissez
traîner quelques zestes de citron dans
les placards : un diabolique comité
d'accueil !

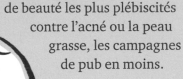

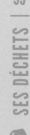

RÉDUIRE

L'ANTIGASPI À HAUTEUR DES PETITS

Et si on essayait d'enseigner la valeur de chaque objet à nos enfants ? L'antigaspi, ça s'apprend dès le plus jeune âge !

ÉNERGIE POSITIVE

Inscrivez-vous sur le site **familles-a-energie-positive.fr.** Trouvez d'autres participants réunis en équipe dans votre région. Transformez vos enfants en super-héros qui relèvent les défis pour économiser l'eau et l'énergie. Racontez les performances de votre famille sur le site et mesurez au passage les dépenses évitées. Invitez vos enfants au resto avec les économies réalisées grâce à leurs efforts.

RECYCLAJOUETS

Plusieurs associations en France (Rejoué à Paris, Recycl'jouet à Guise, Rejouets à Cérences, Ti Jouets à Brest, Carijou à Strasbourg) récupèrent les jouets, les nettoient, les réparent, les complètent s'il manque des pièces, avant de les revendre. Proposez à vos enfants de faire le tri dans leur malle à jouets et d'apporter ceux dont ils ne veulent plus à l'une de ces associations.

ANNIVERSAIRE ÉCOLO

Transformez le traditionnel goûter d'anniversaire en une jolie fête zéro déchet. Signalez dans les invitations que votre enfant sera heureux (après en avoir discuté avec lui !) de recevoir un cadeau d'occasion ou un cadeau immatériel (invitation au ciné, virée en forêt…). Organisez un troc de jouets. Pour la pêche à la ligne, remplacez les babioles en plastique par des sachets de graines, des petits cadeaux chinés dans les brocantes ou des douceurs maison.

JEUX RÉCUP'

Maracas en pots de yaourt remplis de riz, vieilles chaussettes transformées en marionnettes, jeu de dames dessiné sur du carton avec des cailloux en guise de pions, échasses en boîtes de conserve qu'on tire avec des ficelles… Ces jeux faits avec les moyens du bord ont du succès depuis toujours ! Fabriquez-les avec vos enfants.

ZÉRO DÉCHET

Si vous sentez vos enfants motivés par la réduction de la poubelle familiale, rejoignez un défi Familles Zéro Déchet. Plusieurs villes en ont organisé en France : Roubaix (la pionnière), Paris, Le Mans… Les familles sont accompagnées grâce à des ateliers pour apprendre à gaspiller moins de nourriture, fabriquer des produits naturels sans emballage, ou passer au compost.

CUISINER

Pour leur prouver que les déchets sont des ressources, faites-leur manger des chips d'épluchures de pommes de terre. Lavez-les et plongez-les dans un bain de friture ou bien enrobez-les d'huile (et d'épices éventuellement) avant de les étaler sur une plaque pour les cuire au four. Salez. Dévorez.

ARROSER

Pour qu'ils connaissent la valeur de cette précieuse ressource qu'est l'eau, déléguez à vos petits l'arrosage des plantes. Ils pourront recueillir l'eau qui tombe du toit en plaçant une bassine à la sortie d'une gouttière, récupérer l'eau du robinet de la cuisine grâce à un récipient placé en permanence dans l'évier et regarder les plantes pousser grâce à leurs efforts.

35

SES DÉCHETS |

RÉDUIRE

RECYCLER
SON SAPIN DE NOËL

Ça sent le sapin ! Après les fêtes,
ne jetez plus votre sapin, recyclez-le.

LE PAILLAGE

Les jardiniers rechignent souvent à utiliser les aiguilles et les branches fines de sapin au jardin. Une rumeur tenace laisse croire qu'elles sont trop acides, donc nuisibles. Pourtant, elles constituent un très bon paillage pour le potager. Disposez-les telles quelles si vous souhaitez un paillage qui dure de longs mois. Elles vont nourrir et protéger le sol, qui vous en remerciera.

LE FEU

Les aiguilles sèches peuvent être très utiles pour démarrer un feu. En revanche, le bois de résineux contient trop de sève et d'huile pour être utilisé dans une cheminée ou dans un poêle.

LE RENDRE !

Plusieurs entreprises (Treezmas, par exemple) proposent de louer un sapin en pot pour la période des fêtes de Noël. Le sapin sera repris à votre domicile, avant d'être replanté pour continuer à pousser.

LE DON

De très nombreuses municipalités organisent des collectes de sapin au mois de janvier. Elles en font du compost, du paillis, les brûlent pour le chauffage ou parfois même les utilisent pour nourrir certains animaux. Rendez-vous dans les parcs ou sur les places publiques, des espaces de dépôt de sapins sont souvent prévus entre des barrières métalliques.

LE REPLANTER

Si vous achetez un sapin qui possède encore ses racines, vous pouvez être tenté de le replanter. Mais veillez à ne le faire que si vous disposez d'un immense terrain, la plupart des espèces utilisées comme sapin de Noël pouvant atteindre plusieurs dizaines de mètres de hauteur. L'arbre appréciera aussi une période d'adaptation entre votre salon et l'extérieur, de préférence dans une pièce non chauffée de votre maison comme un garage.

LE NETTOYANT
QUI SENT BON

Laissez macérer quelques aiguilles dans du vinaigre blanc. Vos prochaines sessions de ménage n'en seront que plus agréables !

LA MOUCLADE PARTY

On peut utiliser les aiguilles de sapin dans de nombreux plats, pour cuire une viande ou un poisson au four, par exemple. On peut même s'en servir pour cuire des moules : il faut placer les moules à la verticale sur une planche en bois, de préférence à l'extérieur. Ensuite recouvrez les moules d'un grand tas d'aiguilles de pin (3 à 4 fois le volume de moules) avant d'y mettre le feu. Une fois le feu terminé, les moules seront cuites et délicieusement parfumées. La planche va noircir, sans prendre feu.

LE COMPOST

Vous pouvez tout à fait composter votre sapin, une fois qu'il sera sec et après un petit passage sous la tondeuse ou au broyeur. On rappelle la règle du compost réussi : la diversité ! Si vous compostez votre sapin à l'état sec et brun, il faudra le mélanger à un volume équivalent de déchets plus verts et humides : tontes, épluchures, feuilles vertes, etc. À l'inverse, si votre sapin est encore bien vert, mélangez-le avec des feuilles mortes, des brindilles, des cartons.

Cuisiner sans casserole, c'est pas de bol.
Un instant de songe, une minute suspendue,
et l'affaire tourne au drame, le fond crame.
Découvrez les gestes qui sauvent les rêveurs.

SOS CASSEROLES BRÛLÉES

TOURNER AU VINAIGRE

Ustensile en inox, cocotte en fonte, poêle antiadhésive ou en émail : pour les soigner, rien de tel qu'une bonne vinaigrette ! Laissez tomber le sel, l'huile et la moutarde, juste du vinaigre blanc chauffé pendant 2 min à feu doux suffira.

ÉPONGE FRUITÉE

Recouvrez ½ citron de bicarbonate de soude. Frottez comme si c'était une éponge magique et que votre vie en dépendait. Ajoutez de l'eau si ça accroche trop et faites chauffer le mélange.

GOMMAGE AU SUCRE

Snobez miel et sirop d'érable, et jetez pour une fois votre dévolu sur un bon vieux carré de sucre blanc. Un fond de casserole usé ? Frottez-le avec le sucre et un fond d'eau.

RENAÎTRE DE SES CENDRES

Faites un feu de joie et récupérez les cendres. Recouvrez-en le fond de la casserole avec un peu d'eau pour obtenir la texture d'une pâte, chauffez quelques minutes à feu très doux. Un dernier coup d'éponge et c'est le nirvana assuré.

MÉNAGE DE BASSE-COUR

On sait désormais qui de la poule ou l'œuf aura été le premier à réparer une casserole : pilez des coquilles d'œuf (sans l'œuf à l'intérieur, il ne s'agit pas de faire une omelette) et grattez le fond avec.

DEVINETTE MÉNAGÈRE

2 c. à s. d'acide citrique et de l'eau bouillante sont dans une casserole en inox, qui reste ? Plus grand monde, et surtout pas les aliments brûlés, après quelques minutes d'ébullition.

SOIRÉE MOUSSE

Mélangez du bicarbonate de soude, du vinaigre blanc et de l'eau. Jusqu'ici, tout va bien. En conditions réelles, sachez que le mélange va buller, buller, buller ! C'est normal, le trio s'attaque aux traces. En attendant de laver le tout à l'éponge, vous aussi pouvez buller tranquille.

JACUZZI DE RUPTURE

À défaut de réussir un caramel mou, certains se sont cassé les dents sur sa cuisson. Pour détacher deux inséparables comme caramel et fond de casserole, faites-y bouillir de l'eau. Fin de la lune de miel.

NOIR = ESPOIR

Imaginez votre casserole comme une grande tranche de miche de pain : tartinez généreusement non pas de beurre et de miel, mais de savon noir en pâte et recouvrez d'eau bouillante. Constatez la brillance de votre ustensile après une nuit tartinée.

Repriser ses
CHAUSSETTES

Qui n'a pas déjà coincé ses chaussettes entre ses orteils pour cacher un trou ? Pour éviter d'attraper une crampe aux doigts de pied, apprenez à repriser. Ça vide la tête et vos chaussettes vivront plus longtemps.

Le mode d'emploi

1. ENFILER

Passez environ 50 cm de fil dans l'aiguille.

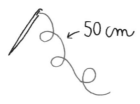 ← 50 cm

2. PRÉPARER

Placez l'œuf dur à l'intérieur de la chaussette (normalement, on emploie un œuf en bois, mais à défaut…).

4. CONTINUER

Faites des points (petits – pas plus de 4 mm – et réguliers) en remontant parallèlement au trou, jusqu'à arriver à 1,5 cm du trou.

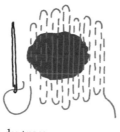

6. CHANGER DE SENS

Passez à l'horizontale quand tous les points verticaux sont finis, en appliquant la technique du tissage : passez une fois par-dessus, une fois par-dessous les points verticaux.

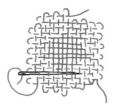

Le matériel

- **Du fil de couleur** identique à celle de votre chaussette (ou alors qui contraste harmonieusement)
- **1 aiguille**
- **Des ciseaux**
- **1 œuf dur**

3. PIQUER L'AIGUILLE

Commencez à environ 1,5 cm du trou, sur le côté. L'aiguille va de l'extérieur de la chaussette vers l'intérieur. Ressortez à 4 mm du point d'entrée sans tirer tout le fil (laissez une queue d'environ 4 cm et faites un nœud au ras du tissu).

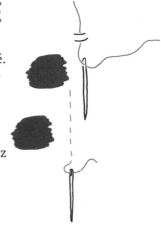

5. ENCHAÎNER LES RANGS

Quand vous passez au niveau du trou, faites de longs points pour l'enjamber.

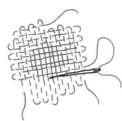

Besoin d'un coup de pouce ?

Direction Internet où les tutos foisonnent : la rubrique « vêtements » du site américain iFixit dédié à la réparation est particulièrement bien fournie (**fr.ifixit.com/Device/Clothing**). Et parce qu'apprendre en vrai et avec des gens, c'est bien aussi, rendez-vous dans les repair cafés : **repaircafe.org/fr**, il y en a sûrement un près de chez vous.

RÉPARER SON VÉLO

Il paraît que l'avenir appartient aux adeptes du vélo... Plutôt que de jeter le vieux biclou de votre grand-père, réparez-le. Encore mieux, utilisez des matériaux recyclés pour en faire une vraie bicyclette de compet'. Tous en selle !

TROUVER UN RÉPARATEUR

Sur le site **longuevieauxobjets. gouv.fr** (créé par l'État et l'Ademe), on compte près de 2 200 contacts à travers tout l'Hexagone dans la catégorie « réparer un vélo » ! C'est une bonne porte d'entrée.

LES ATELIERS PARTICIPATIFS DE RÉPARATION DE VÉLO

Nés dans les années 1990, les ateliers de réparation de vélo sont près de 200 aujourd'hui en France. Les mécaniciens les plus férus y transmettent leurs connaissances aux novices, sur la base du bénévolat. Et dans ces beaux lieux d'éducation populaire, on lutte aussi contre le gaspillage en utilisant essentiellement des pièces récupérées. L'association L'Heureux Cyclage les fédère (**heureux-cyclage.org**).

CONSULTEZ LE WIKLOU

C'est la bible du vélo ! Ce site participatif, créé en 2010 par L'Heureux Cyclage, regorge de tutos précis sur la réparation. Il comporte aussi plein d'infos sur la réglementation, le tourisme, le fonctionnement des ateliers, etc. **wiklou.org**

RÉPARATEURS À DOMICILE

Le métier de réparateur ambulant est en plein boom. Ces mécaniciens se déplacent sur le lieu de la panne, que ce soit à votre domicile ou là où vous travaillez. Ils sont eux-mêmes à vélo la plupart du temps, avec une carriole pleine d'outils. Cyclofix (**cyclofix.com**), par exemple, propose les services de ses réparateurs mobiles à Paris, Strasbourg, Lyon, Bordeaux, Nantes, Lille, Rennes et Toulouse.

TUTOS EN LIGNE

Le site **velo-reparation.fr** est archi complet. Il compte 113 fiches pour apprendre la mécanique du vélo et entretenir, régler, réparer tous les types de vélo. Le forum est aussi très utile pour poser ses questions à la communauté des réparateurs.

PIÈCES DÉTACHÉES ET TUTOS !

lecyclo.com vend des accessoires pour vélo et de nombreuses pièces détachées. La section « conseils » du site est bien fournie. On y trouve toutes sortes de tutos et vidéos : pour nettoyer et entretenir son vélo, régler ses freins, changer un rayon cassé…

AVEC EMMAÜS

70 % des 119 communautés Emmaüs réparent les vélos. Les « compagnons » restaurent chaque année 20 000 biclous ! Ils organisent aussi parfois des ateliers pour transmettre leurs compétences au public. Et n'oubliez pas de leur donner vos vélos qui ne servent plus : ils en feront bon usage.

EN VOYAGE

Quand on part en voyage à bicyclette, il ne faut rien oublier, sous peine de se retrouver en rade au milieu de nulle part : des clés plates, une chambre à air, des rustines, des rayons, un dérive-chaîne, etc. Pour connaître l'équipement complet, consultez la « Liste des outils et pièces de rechange en voyage » proposée par le Wiklou.

RÉDUIRE

RECYCLAGE
DE FROMAGES

La France produit plus de fromages qu'il n'y a de jours dans l'année. Des idées pour les bousculer entre la poire et l'usage ?

ANTIGASPI

Sus aux restes de frometon qui fouettent quand on ouvre le frigo. Transformez votre chèvre trop sec en copeaux dans une salade, un fromage trop fait en truffade, un bleu trop vieux en fondu dans une polenta. Et pour les petits morceaux que tout le monde boude, en pizza quatre fromages.

AUX FRUITS SECS

Prenez un fromage à croûte fleurie : camembert, coulommiers, chaource… Coupez-le transversalement en deux. Déposez sur chaque moitié un mélange de noix, noisettes et pistaches grossièrement concassées. Quelques fruits secs coupés en petits cubes : abricots, figues, canneberges. Poivrez. Enfournez à 180 °C. C'est prêt lorsqu'il commence à couler !

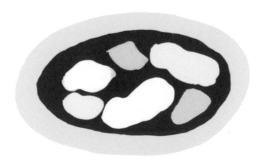

CLASSE CROÛTE

Ne jetez pas les croûtes des fromages
à pâte cuite : parmesan, comté,
mimolette… Ils recèlent la fameuse
cinquième saveur, l'umami.
Accumulez-les au fur et à mesure dans
une boîte au réfrigérateur. Lorsque vous
en avez environ 300 g, versez-les dans
une casserole. Ajoutez ½ verre de vin
blanc, un bouquet garni, 2 gousses d'ail.
Couvrez d'eau à hauteur, laissez cuire à
feu doux 30 min. Filtrez. Savourez
ce bouillon nature ou avec des vermicelles.
Aussi très malin pour réaliser une
béchamel ou un gratin dauphinois.

EN CHANTILLY

Au chèvre, au saint-nectaire
ou au camembert, le principe est
le même. Faites fondre le fromage
dans de la crème fleurette. Laissez
refroidir en remuant régulièrement.
Émulsionnez. Divin avec une soupe
ou un gaspacho.

FAIT MAISON

Un labneh maison et c'est l'Orient qui
s'invite à table ! Mélangez 200 g de yaourt
de chèvre, 200 g de yaourt grec et une pincée
de sel. Placez une étamine sur une passoire
au-dessus d'un bol. Versez les yaourts.
Rassemblez les bords de l'étamine, serrez
bien et maintenez avec une ficelle. Laissez
le mélange s'égoutter un minimum
de 24 heures au réfrigérateur. Parfumez
de zaatar et d'huile d'olive. Un délice
sur du pain grillé ou pour y plonger
des bâtonnets de légumes !

9 bonnes idées autour de

L'AIL

L'ail agrémente nos mets avec succès grâce à son goût relevé. Mais sous sa modeste chemise se cache un super-héros !

2 SANTÉ ANTISOCIALE

L'hiver, si vous vivez seul et en Roumanie, garnissez votre oreiller de pelures d'ail afin de vous protéger des maux hivernaux. Si vos proches vous évitent pour des questions d'odeur, estimez-vous heureux : au moins, vous n'aurez pas de rhume cette année.

1 MÂCHER POUR SÉDUIRE

Vous avez mangé trop d'ail et n'osez approcher personne ? Mâchez une tige de persil ou de coriandre pour vous débarrasser de cette haleine embarrassante.

3 PESTO DES BOIS

Lavez 50 g de feuilles d'ail des ours dans de l'eau vinaigrée, puis rincez. Hachez finement avec une poignée de pignons, ajoutez de l'huile d'olive jusqu'à obtenir une purée très fine. Salez et poivrez. Versez dans un bocal, recouvrez de 1 cm d'huile d'olive, puis fermez hermétiquement et conservez à l'abri de la lumière. Si vous croisez un ours, n'hésitez pas à lui faire goûter.

6 À COUVERT !

« Purée, où est le presse-ail ? » criez-vous dans la maisonnée. Calmez-vous, prenez une fourchette et appuyez sur la gousse épluchée. Continuez l'action. Affaire classée.

4 BEURRE VERT

Mélangez quelques feuilles d'ail des ours, 3 c. à. s. d'amandes émondées, une pincée de sel jusqu'à l'obtention d'une pâte homogène. Malaxez-la avec 250 g de beurre. Pressez bien la bête et placez dans un récipient au réfrigérateur. Savourez ouvertement ce beurre vert.

7 SOIN AILLÉ

Avant que vos légumes fassent un tour au four, frottez votre plat avec une gousse d'ail coupée. Faites pareil avec votre saladier pour la salade. Croquez l'ail qui reste pour accueillir vos invités comme il se doit.

5 REMÈDE RADICAL

Malade et au fond du lit ? Du peu de force qu'il vous reste, tapez sur des gousses d'ail, hachez grossièrement du gingembre, pressez rapidement 1 citron et jetez-le avec tout le reste (épluchures comprises) dans 1 litre d'eau. Faites bouillir puis laissez infuser 15 à 30 min selon le goût. Filtrez, buvez en y ajoutant du thym.

8 DE L'AIL, PATATE !

Vous avez des pommes de terre ? une friteuse ? Vous voulez des frites ? STOP ! Ajoutez d'abord quelques gousses d'ail dans l'huile de la friteuse. Au moment du bain, vos frites (et vous-même) apprécieront le subtil parfum qui les imprègneront.

9 PRESSING D'ÉPLUCHURES

Pour préparer facilement l'ail, plongez-le 10 min dans de l'eau tiède pour lui enlever sa chemise sans faire sauter les boutons.

SES DÉCHETS |

RÉDUIRE

LA CHASSE AUX TACHES

Les recettes de grand-mère pour venir à bout des vêtements tachés circulent abondamment. Toutes ne se valent pas. On a gardé les meilleures rien que pour vous.

tic tac !

TOUT DE SUITE

Déposer le vêtement taché dans le panier à linge sale en pensant régler le problème plus tard ? Mauvaise idée. Pour éviter que les éléments s'incrustent, il faut agir dès que possible. Et souvenez-vous que le lavage en machine et le fer à repasser risquent d'aggraver le problème.

DE L'EAU FROIDE !

Laver à l'eau chaude ? *Vade retro !* La chaleur a tendance à fixer la tache. Bannissez-la en particulier pour le vin et les fruits rouges. Le chaud ne ferait qu'aider leurs pigments à s'attacher aux fibres. Choisissez donc de tourner le robinet d'eau froide.

PAS DE SEL SUR LE VIN ROUGE

Votre chemise blanche vient d'absorber un verre de vin rouge et l'on vous presse d'y verser le contenu de la salière pour résoudre le problème ? N'en faites rien ! Primo, le sel est corrosif et va attaquer le tissu. Secundo, il ne fera qu'absorber l'eau pendant que les tanins s'incrusteront. Saisissez-vous plutôt d'une bouteille d'eau gazeuse pour rincer tout ce rouge, puis nettoyez avec du percarbonate de soude.

HARO SUR LES AURÉOLES

Plusieurs solutions pour en venir à bout : frottez avec un mélange de bicarbonate de soude et de jus de citron, ou bien avec de l'eau vinaigrée, voire avec de l'alcool dénaturé à 70 °.

ABSORBER LA CIRE

Si de la cire de bougie a coulé sur la nappe, commencez par gratter délicatement pour éliminer le plus gros. Placez ensuite du papier absorbant de part et d'autre du textile, superposez un chiffon et repassez. Le papier va s'imbiber de la cire chaude.

REDOUTABLE PERCARBONATE

Pas grand-chose ne lui résiste : thé, chocolat, graisses, rouge à lèvres, etc. Mélangez la poudre avec un peu d'eau, appliquez sur la tache, laissez agir et lavez. Vous pouvez aussi faire tremper le linge souillé dans un bain composé de 1 c. à s. de percarbonate par litre.

LA BASE *LE SAVON DE MARSEILLE*

Il est champion pour dissoudre les graisses ; en frottant un peu, il viendra à bout de bien des saletés. Choisissez un cube de savon de Marseille traditionnel, à base d'huiles végétales et sans conservateur, colorant ou parfum.

DU FROID
CONTRE LE CHEWING-GUM

Si vous vous êtes assis sur un chewing-gum, votre pantalon mérite un séjour au congélateur. Une fois la pâte durcie par le froid, il sera plus facile de la retirer, avec un couteau, par exemple.

CONTRE LA ROUILLE TENACE

Sortez votre presse-agrume. L'acide citrique présent dans le citron va faire le boulot (on peut aussi acheter cette substance pure, au rayon droguerie). Versez directement du jus de citron sur la tache, laissez la réaction chimique se faire pendant plusieurs heures. Et terminez éventuellement de nettoyer avec du savon.

GOUDRON ET CAMBOUIS

Ces hydrocarbures, qui adhèrent comme de la colle aux textiles, sont insensibles aux savons et lessives. Ils sont en revanche très réactifs à toutes les graisses. Attaquez-les avec l'huile alimentaire de votre placard, ou même du beurre ! Vous pouvez aussi saupoudrer de terre de Sommières (une argile très absorbante) ou, à défaut, du talc. Laissez agir plusieurs heures avant de brosser.

Que faire de vos légumes rabougris afin d'éviter de les gâcher sans passer la soirée derrière les fourneaux ? Indice : il y a mieux que de les troquer en boucles d'oreilles.

FRUITS ET LÉGUMES FATIGUÉS

FOND DE TEINT POUR TARTE

Légumes moches ? Crumble salé. 100 g de beurre demi-sel, 75 g de farine, 50 g de parmesan, sel, poivre : émiettez tout ça au-dessus de vos rebuts précuits et glissez au four à 180 °C jusqu'à ce que dore ce maquillage de fortune.

GRANOLA GLORIEUX

Vos pommes et autres fruits de la corbeille tirent la tronche ? Cuisez-les et mixez-les en compote, puis enrobez-les de flocons d'avoine, de noisettes, d'amandes et de fruits secs avec un trait d'huile et de miel : comptez 40 min à 140 °C pour un vaillant granola.

AMIS *POUR LA VIE*

La sauce soja, le gingembre et l'ail hachés rendent toujours service aux brocolis, champignons, carottes, poireaux, épinards, poivrons, courgettes à bout de souffle. Chauffez les uns puis les autres dans un wok avec un fond d'huile.

BEURRE AU RABAIS

Une partie de la courge a moisi ?
Dites-lui adieu comme il se doit,
et l'autre (la valide), chouchoutez-la
en la faisant cuire à la vapeur. Ajoutez
15 cl d'huile de coco. Remplacez
le beurre des gâteaux par ce mélange.

RAMEN EXPRESS

Ail, épluchures d'oignon, carottes, verts
de poireaux, courges, tomates… faites
revenir vos fonds de panier (mais pas
le panier) dans de l'huile. Ajoutez 1 litre
d'eau, baissez à l'ébullition et laissez cuire
à petit feu 30 min. Filtrez. Ajoutez-y
des nouilles et 1 c. à s. de pâte miso.

HERBES
SIX PIEDS SOUS TERRE

Pour le basilic, le persil ou
la coriandre qui traînent la
patte, hachez menu (même
les pieds) et glissez dans une
farce à base de pois chiches trempés
dans de l'eau 12 heures, super égouttés
et mixés avec du sel. Bravo, vous avez
une volée de falafels à mouler dans
vos mains et à faire frire !

CHIC, UNE CHIPS !

Mangez vos chips par la racine !
Betteraves, carottes ou céleris-raves
flétris ? Coupez-les finement, enrobez
d'huile d'olive et de sel et glissez au
four à 160 °C. Quand ce n'est plus mou,
c'est prêt !

TORTILLA À LA RESCOUSSE

Découpez vos patates molles
et autres poivrons, oignons, tomates,
courgettes, carottes, poireaux, épinards
en morceaux. Mettez le tout dans
une poêle huilée pendant 15 à 20 min.
Battez quelques œufs (8 pour
4 personnes) et ajoutez-les pour
les 5 dernières minutes de cuisson.

REINE DES GLACES

Le remède des fruits de
saison vannés : un coup
de froid vigoureux. Tout
le monde au congélateur,
en morceaux. Mixez avant
de servir avec un yaourt et du
miel pour un sorbet impérial.

C'est le grand classique des lendemains de soirée. Se retrouver avec la gueule de bois et du verre en veux-tu, en voilà. Ne jetez plus vos fonds de bouteilles entamées : éclusez, mélangez et sublimez-les.

UTILISER LES FONDS DE BOUTEILLE

VINASSE AU BRUNCH

Des restes de vins liquoreux que personne n'avait plus la force de siroter en fin de repas ? Mettez-les sur un tout petit feu pendant plusieurs heures, jusqu'à ce qu'ils réduisent en sirop que vous napperez sur les pancakes du dimanche matin.

BREUVAGE SUAVE

Versez vos fonds de vin rouge dans une petite casserole (l'équivalent d'une bouteille au total), ajoutez quelques épices – badiane, cannelle, clous de girofle, muscade ou cardamome –, le zeste et le jus d'une orange, du sucre à votre guise. Laissez infuser toute une nuit. Réchauffez avant de déguster.

PUNITION POUR MOUCHERON

Vous aimez le vin plus que tout ? Les moucherons aussi. Pour les châtier de tant de vice, versez-en dans un bol recouvert d'un papier ou d'un film percé de petits trous (voir aussi p. 27).

SHOTS DANS L'AIR

Les troupes russes ont déguerpi de votre salon, mais il reste l'équivalent d'un chargement de vodka ? Glissez-la dans des vaporisateurs avec des huiles essentielles (comptez 10 gouttes pour 20 cl) pour que la maison sente bon. Na zdorovié !

TOAST DÉGRAISSANT

Pour briller en société, accueillez taches de graisse et d'huile avec le sourire. Puis astiquez-les avec du vin blanc ! Celui-ci fait horreur aux taches grâce à l'alcool et à l'acide qu'il contient (voir aussi p. 48).

PINARD *GIVRÉ*

Plutôt que de finir vos jajas au petit déjeuner, offrez-leur un avenir givré avant de les dissoudre dans vos plats mijotés. Coupez en petits morceaux oignons, gousses d'ail et brins de thym. Placez dans des bacs à glaçons et versez-y vos restes de pinard, rouge ou blanc. Mettez au congélo et ressortez pour cuisiner.

MISSION VINAIGRE

Le plus dur dans cette histoire de vinaigre maison est de ne pas boire la bouteille de vin. Pour le reste, il suffit juste d'un peu de patience… Offrez-vous un beau vinaigrier. Remplissez-le aux deux tiers d'un vin rouge bio, jeune, de 8 à 10 °. Recouvrez d'un tissu pour empêcher les mouches d'entrer. Conservez entre 20 et 30 °C puis patientez deux mois. Et hop, un vinaigre parfait pour vos salades.

FAIRE
SOI-MÊME

La consommation ? Complètement passée
de mode. Place au fait maison !

Nul besoin d'être diplômé de Polytechnique
pour fabriquer tout un tas de choses bonnes
et utiles. Et puis, quelle fierté de réaliser
soi-même tisanes, pains, cosmétiques,
produits ménagers. Et même son propre
fumoir, son levain ou ses légumes
lactofermentés. Vous imaginez ?

Glissez vos mains dans le pétrin, promis,
on va se fendre la poire.

CADEAUX MAISON QUI ONT TOUT BON

*Pour vos proches, investissez…
du temps ! Lancez-vous dans
un cadeau « fait cuisine ». Sortez
les bocaux et laissez-vous guider.*

SEL ÉPICÉ

Pour que la vie ne manque pas
de piquant, coupez en petits morceaux
3 piments doux séchés. Mixez-les
finement avec 250 g de sel de Guérande
moulu, 1 c. à s. d'ail semoule et 1 c. à s.
d'huile d'olive. Versez dans des petits
sachets ou dans des bocaux.

INFRUITSION

À l'aide d'une aiguille, piquez des
lamelles de fruits déshydratés (pomme,
ananas, mangue…), de gingembre
et des étoiles de badiane. Glissez-les sur
un brin de thym ou une pique en bois.
Placez dans un petit sachet avec quelques
fleurs d'hibiscus. Laissez infuser dans
une tasse d'eau chaude, buvez l'infusion
et savourez les fruits redevenus moelleux.

BISCUITS ORANGÉS

Mélangez 90 g de sucre, 100 g d'amandes en poudre, 100 g de farine de sarrasin, une pincée de bicarbonate de soude, 160 g de beurre demi-sel fondu et 1 œuf. Faites cuire dans des petits moules 20 min environ à 150 °C. Mélangez du sucre glace avec un peu d'eau ou de jus d'orange. Décorez les biscuits. Placez au réfrigérateur pour que le sucre glace fige.

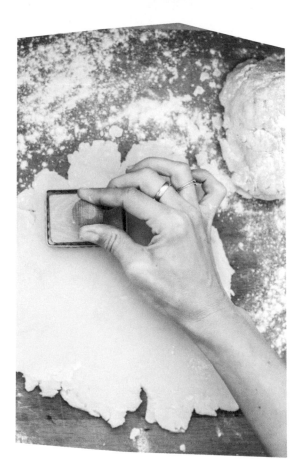

SUCRES PARFUMÉS

Dans un bol, mélangez 350 g de sucre de fleur de coco avec 1 c. à s. de graines d'anis. Dans un autre, 350 g de sucre de canne brun avec 1 c. à s. d'épices et, dans un troisième, 350 g de sucre de canne blond avec 3 c. à s. de grains de pollen. Versez par couches successives dans un bocal.

ABRICOTINE MISE À L'AMANDE

Blanchissez 300 g d'abricots pendant 1 min, puis égouttez. Portez ensuite à ébullition avec 100 g d'amandes émondées et 25 cl de lait d'amande. Hors du feu, ajoutez 30 g d'huile de noix de coco. Couvrez et laissez mariner pendant 30 min. Portez de nouveau à ébullition. Ajoutez 5 gouttes d'huile essentielle d'orange douce. Mixez finement. Versez dans 2 petits pots préalablement ébouillantés. Un délice sur des tartines grillées, un laitage, en fond de tarte...

HUILES PLUS ESSENTIELLES QUE JAMAIS

Versez 75 cl d'huile d'olive, 30 g de cèpes séchés, 2 brins de thym et 2 gousses d'ail dans une bouteille préalablement ébouillantée. Laissez mariner 1 semaine et conservez à l'abri de la lumière. Un délice pour la touche finale de n'importe quel plat !

7 bonnes idées autour de

LA BANANE

Avoir la banane, c'est être heureux.
Vaste sujet. On vous l'épluche en quelques lignes.

BANANE BEAUTÉ 1

La peau dans le pot pour se refaire une beauté, en masque pour visage ou soin des cheveux. Mixez-la pour profiter de ses précieux oligoéléments avec un peu d'huile de coco et quelques gouttes de citron. Appliquez et laissez poser 15 min avant de rincer. Admirez votre peau de pêche et vos cheveux de velours.

2 EN INFUSION DU SOIR

Éliminez les extrémités d'une peau de banane (bio, bien entendu) avant de la faire bouillir pendant 10 min. Filtrez. Savourez avec un peu de cannelle ou de fleur d'oranger. Vous avez fait le plein de magnésium et de potassium pour vous assurer le sommeil du juste.

BIEN MÛRE, S'IL VOUS PLAÎT 3

Pour faire mûrir votre banane en un temps record, enfermez-la dans un sac en papier. Vous pouvez aussi laisser bananes et pommes passer la nuit ensemble. Au réveil, miracle, tous seront mûrs ! À consommer sans plus attendre.

EN MODE ZÉRO DÉCHET 4

Coupée en lanières, la peau de banane se plaira parfaitement au compost où elle se transformera en engrais naturel ; étalez-la directement dans votre bac à fleurs, ça marche aussi.

5 SOS BANANE TROP MÛRE

Écrasez-la ou mixez-la avec quelques gouttes de jus de citron pour éviter l'oxydation. Vous avez là un petit secret de cuisine pour donner de la texture et de la saveur à tous vos desserts : cheese-cake, smoothie, glace, muffin, compote et l'incontournable banana bread.
Le top du top : en sauce raita pour accompagner les plats de viande.

6 RECETTE DE PEAU DE BANANE

Eh oui, c'est surprenant, mais pas pour les Indiens à qui on pique l'idée. Comment s'y prendre ? Éliminez les extrémités de la peau, puis coupez-la en tronçons.

EN MODE CRU
Mixée avec un peu de liquide, d'eau et de lait jusqu'à l'obtention d'une purée.

EN MODE CUIT
Elle sera moins fibreuse bouillie quelques minutes puis mixée.

Et après ? Incorporez à tout ce qui a une affinité avec la banane.

7 PAIN À LA BANANE COMPLÈTE

1. ÉPLUCHER
Retirez les extrémités de 2 peaux de bananes mûres et plongez-les 3 min dans une casserole d'eau bouillante.

2. RÉUNIR
Mixez les peaux cuites et ajoutez-les aux bananes épluchées avec 80 g de beurre demi-sel.

3. MÉLANGER
Dans un bol, fouettez 2 œufs avec 100 g de cassonade. Ajoutez les bananes et mélangez. Ajoutez 200 g de farine de seigle, 1 c. à s. de bicarbonate de soude et 1 c. à s. de cacao en poudre.

4. CUIRE
Versez la pâte dans un moule beurré. Laissez cuire 60 min à 160 °C et dégustez !

SOI-MÊME

FAIRE

TISANES

MAISON

La nuit s'installe. Les arbres se dénudent. Bref, l'heure de la tisane a sonné. Fabriquez les meilleures potions de l'hiver grâce à nos conseils cueillette sauvage et récup'.

1 LA RÉCOLTE

Avant le premier coup de givre fatal, vite, allez tout récolter : sauge, romarin, thym, menthe, origan ou fleurs de tilleul tombées à la fin de l'été. Continuez votre razzia dans la cuisine en sauvant de la poubelle quelques précieuses denrées : zestes d'agrumes, épluchures de gingembre et de fruits de saison bio, feuilles, tiges ou racines d'artichaut.

2 LE SÉCHAGE

Une fois la récolte terminée, c'est le moment de passer au séchage. Étalez votre moisson sur du papier journal ou du carton et placez le tout près d'une source de chaleur. Radiateur, four ou cheminée feront l'affaire. Maintenant, place aux tisanes !

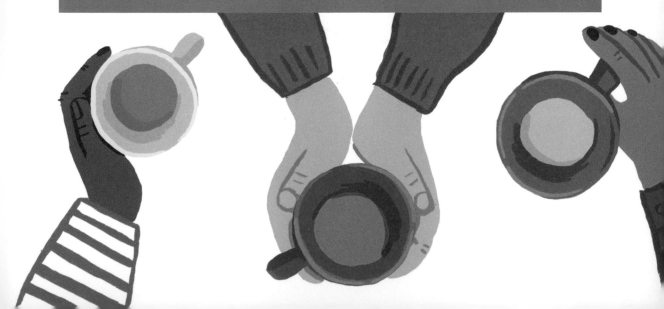

LA TONIQUE

Elle facilite le travail de l'estomac, des intestins, du foie, du cœur, des bronches et des muscles. C'est LA tisane antitout qui vous fera passer l'hiver sain et sauf. Pour cela il vous faut : 1 c. à c. de gingembre (épluchures ou morceaux), 1 c. à c. de zestes de citron, trois pincées de cannelle en poudre, deux pincées de graines de fenouil et 1 c. à c. de romarin séché ou de sauge séchée.

L'INSPIRANTE

Petite bronchite, mauvaise toux ? Cette tisane favorise l'évacuation des sécrétions des bronches et adoucit les voies respiratoires. Pour cela, 3 bourgeons de pin ou de sapin séchés et 1 c. à c. de mauve séchée (feuille, racine et fleur).

LA DIGESTIVE

Pour calmer vos maux de ventre et faciliter la digestion, mélangez 1 c. à c. de thym (ou romarin ou menthe), deux pincées de graines de fenouil (ou coriandre ou cumin), 1 c. à c. de feuilles, tiges ou racines d'artichaut. Oubliez la bouillotte, vive la tisane !

LA COMBATTANTE

Pour toutes les victimes de la goutte au nez, cette tisane stimule les défenses immunitaires et combat les manifestations infectieuses. Antibactérienne et antivirale, antiseptique intestinal, pulmonaire et urinaire, elle a le grand avantage de favoriser l'augmentation de la température du corps. Mélangez 1 graine de cardamome, 1 c. à c. de cannelle et 3 clous de girofle.

LA CALMANTE

C'est la tisane parfaite pour les agités du bocal. Elle apaise le système nerveux et favorise le sommeil. Parfaite pour le mal de tête, l'anxiété et le stress. Mélangez 1 goutte d'huile essentielle de lavande, 1 c. à c. d'eau ou d'hydrolat de fleur d'oranger et 1 c. à s. de feuilles de tilleul en poudre.

LA LUNE

Antispasmodique et antimicrobienne, cette tisane est très efficace pour les femmes qui ont des règles douloureuses. Mélangez trois pincées de graines d'anis vert (ou de carvi), 1 c. à c. de feuilles de sauge séchée et 1 fleur de souci séchée.

Faire son
KIMCHI

PSCHITT

Qui me chuchote à l'oreille ? Le kimchi, pardi ! Ce chou fermenté
bulle dans son coin pendant quelques semaines avant d'exploser
d'une douceur pimentée délicieuse. Écoutez, ouvrez bien vos feuilles
et découvrez tout ce qu'il y a à savoir sur sa préparation.

La recette

1. COUPER

Découpez votre chou en dizaines de tickets de métro.

Les ingrédients

- **1 chou chinois** (français et bio)
- **1 échalote, 1 tête d'ail**
- **2 cm de gingembre**
- **2 c. à s. de flocons de piment** coréen gochugaru ou piment d'Espelette
- **1 c. à s. de sauce nuoc-mâm**

2. MALAXER

Grâce à vos deux belles mains, et en admirant notre art du compliment, mélangez bien avec 1 ou 2 c. à s. de sel (20 g). Puis allez faire une très grande randonnée ou bouquiner un gros pavé – n'importe quelle activité qui pourrait durer 24 heures.

nuoc-mâm — gingembre — ail — piment — échalote

sel

3. REBOOSTER

Le chou, désormais tout raplapla, s'est effondré. Ajoutez-lui la sauce nuoc-mâm, l'ail, le piment, l'échalote et le gingembre émincés pour qu'il puisse regagner un peu d'estime.

Dégustation

Il est prêt : quand vous ouvrez le couvercle, le kimchi se lâche d'un petit « pschitt » de soulagement, après tant de jours enfermés avec lui-même.
Faites-lui la conversation un petit instant, c'est la moindre des choses. Ensuite, emparez-vous d'un morceau de baguette, d'un bon beurre fermier et glissez-y quelques lamelles de kimchi.
Réjouissez-vous d'une telle amitié entre deux contrées et savourez, malgré tous ces verbes à l'impératif qui vous disent quoi faire.

4. FERMER

Ensuite, placez ce doux mélange dans des bocaux hermétiques. Laissez reposer 3 à 4 jours à température ambiante, puis à la cave ou au frigo pendant 2 à 3 semaines. Si vous n'êtes pas trop dur de la feuille, au début, vous devriez pouvoir l'entendre chanter. Il a pour habitude de buller, au fur et à mesure que le dioxyde de carbone produit par la fermentation tente de remonter à la surface.

SOI-MÊME |

FAIRE

Vous adorez cuisiner des beignets en bottes boueuses dans la cuisine ? Pas de problème, les solutions naturelles et zéro déchet pour une maison qui sent bon, ça existe !

MÉNAGE AU NATUREL

LINGETTES DÉSINFECTANTES

Dans un bocal, versez 500 ml de vinaigre blanc et 50 cl d'eau. Ajoutez 1 c. à c. de bicarbonate de soude, 10 gouttes d'huile essentielle de citron, 10 d'eucalyptus globuleux et 10 de tea tree. Trempez-y vos lingettes en tissu pour qu'elles s'imbibent du produit nettoyant fait maison. Une fois utilisées, elles se lavent en machine.

PATATE CRISTAL

Le mariage de la patate et du cristal est étincelant, surtout si on offre aux deux tourtereaux un bain tiède au clair de lune. Mettez des pelures dans de l'eau tiède, puis plongez-y vos verres en cristal. Laissez barboter : résultat éblouissant !

BARBECUE *AUX PETITS OIGNONS*

Assez de dégraisser le barbecue post-brochettes ? Confiez la tâche à vos oignons. Coupez-les en deux et frottez la grille du barbecue encore chaude. Rincez à l'eau claire.

BRUME D'OREILLER

Morphée s'est fait la malle, pas de panique ! Versez dans un brumisateur 3,5 cl d'hydrolat de fleur d'oranger et 5,5 cl d'alcool pharmaceutique à 70°. Complétez avec 40 gouttes d'huile essentielle de lavande, 20 de petit grain bigarade et 20 de marjolaine à coquille. Secouez avant d'utiliser, et vaporisez sur l'oreiller pour calmer les nuits agitées.

DÉTARTRAGE À L'HUÎTRE

Faire partir le tartre, c'est pas de la tarte. À moins de confier le sale boulot à une coquille d'huître. Placez-la dans une bouilloire, un lave-vaisselle… Puis laissez faire la nature !

ÇA VA DÉROUILLER

Quand les couteaux commencent à rouiller, sortez l'artillerie lourde : des épluchures de pommes de terre à frotter sur la lame. Astique, patate !

SPRAY FRAÎCHEUR
SANS PERTURBATEUR !

Emparez-vous d'une bouteille de vodka. Versez-en 8 c. à s. dans un vaporisateur, ajoutez 40 cl d'eau et 40 gouttes d'huile essentielle de ravintsara. Faites pschitt et humez…

DÉSODORISANT LACTÉ

C'est l'astuce qui tue pour que votre frigidaire ait toujours l'haleine fraîche : placez un bol de lait en son sein.

COUP DE MARC

Dans la série des déchets qui nettoient, je demande le marc de café, formidable dégraissant et désodorisant. Jetez-le dans l'évier pour nettoyer les canalisations ou placez-le dans une coupelle pour désodoriser le frigo.

GUIDE ANTITACHE

Sang, café, cambouis, herbe coupée, sueur, chocolat… voilà du beau monde qui fait tache. Pour en enlever la trace, imprégnez de vinaigre blanc pur et laisser agir une heure avant de laver en machine (voir aussi p. 48).

Envie d'une partie de rigolade en cuisine pour libérer son espace mental avec les enfants ? Mettez donc leurs petites mains à la pâte.

CUISINER AVEC LES LOUPIOTS

ROULEZ !

Faites-vous la main avec des makis. Sur un makisu (ou natte à sushis), disposez une feuille de nori, étalez du riz cuit à 2 cm du bord. Au centre, posez des lamelles de saumon et d'avocat, puis enroulez le maki de façon à former un rouleau en humidifiant la jointure pour bien le sceller.

Pssst, astuce : enveloppez-le dans un tissu propre, serrez-le aux extrémités et donnez-lui un mouvement de va-et-vient pour obtenir une jolie forme. À placer 15 min au congélateur pour le couper facilement en tranches.

CREUSEZ !

L'outil ad hoc ? Une cuillère pour former des billes.

Comment s'y prendre ?
Creusez la chair du melon et mixez les chutes avec un peu de lait de coco. Versez dans des bols pour une délicieuse soupe de fruits. (Et ça marche aussi avec la pastèque !)

Variez les garnitures. Quinoa, sarrasin ou millet mélangé avec du fromage frais, des herbes aromatiques. Au centre, lamelles de poulet, de jambon, des noix, des pignons pour donner du croustillant et des bâtonnets de légumes : carotte, céleri, courgette…

TRESSEZ !

Une pâte à pain pour commencer
(voir « Faire son pain » p. 88-89).
Divisez-la en 3 pâtons, puis
roulez-les sous la paume des mains pour
obtenir 3 boudins de même longueur.
Rassemblez-les à une des extrémités,
puis tressez-les pour obtenir une jolie
natte. Laissez lever avant de cuire.

On corse l'affaire avec la pâte à brioche :
plus molle à travailler, placez-la au
préalable 30 min au frais pour vous
faciliter la tâche.

Encore plus fort : étalez du pesto ou du
chocolat à tartiner sur une pâte à brioche
finement abaissée. Roulez-la en un
boudin. Entaillez sa surface avec la pointe
d'un couteau. Coupez-le en deux dans
toute sa longueur, puis torsadez avant
de les rouler en couronne.

CONGELEZ !

Trop jolis, les glaçons de fruits et de
fleurs pour l'apéro ! Viola, capucine,
bourrache, rose selon la saison, avec des
petits dés de fraise ou de pêche. Placez-
les dans un bac à glaçons. Versez de l'eau
bouillie refroidie puis laissez prendre au
congélateur.

Un cube de gourmandise pour un
chocolat chaud : versez du chocolat
fondu jusqu'à la moitié des alvéoles.
Insérez une framboise, des dés de poire
ou des noisettes concassées, recouvrez
de chocolat et hop, au congélateur !

EMPILEZ !

Le défi : faire une élévation la plus
haute et la plus droite possible avec
un gâteau de crêpes. Pour une bordure
parfaite, posez une assiette au centre
des crêpes et coupez le surplus au
couteau. Choisissez la garniture : crème,
pâte à tartiner, confiture à étaler entre
les crêpes. Pour plus de gourmandise,
intercalez des lamelles de fruits.

FAIRE PEAU NEUVE

Compositions douteuses, suremballages...
en matière de beauté, rien ne vaut
le fait maison avec des ingrédients
de premier choix. On s'y met ?

POUR PRÉVENIR LE VIEILLISSEMENT

Recette miracle pour magnifier les peaux mixtes : la lotion tonique au thé vert. Pour la fabriquer, faites infuser l'équivalent de deux sachets de thé vert (au pouvoir antioxydant, anti-inflammatoire et astringent) dans de l'eau chaude avant de laisser refroidir. Appliquez sur la peau du visage, matin et soir, à l'aide de petites lingettes en tissu lavables.

CONTRE LE FROID
ET LA POLLUTION

Avez-vous déjà entendu parler du « beurre » de visage ? C'est un baume hydratant, très simple à réaliser ! Rassemblez 2 c. à s. d'huile d'amande douce, 1 c. à c. de cire d'abeille, 2 c. à c. d'eau florale d'oranger, 1 c. à c. de glycérine et 8 gouttes d'huile essentielle de petit grain bigarade. Faites fondre au bain-marie la cire dans l'huile. Hors du feu, ajoutez la glycérine et l'eau florale et enfin les gouttes d'huile essentielle. Versez dans un contenant en verre opaque. Ce « beurre » de visage conservera votre peau souple.

DÉO MAISON
SAIN ET SIMPLE

Prévoyez 30 g de bicarbonate, 20 g de fécule de maïs, 2 cl d'huile de tournesol, 3 cl d'huile de coco et 10 gouttes d'huile essentielle de tea tree. Faites fondre l'huile de coco au bain-marie avant d'ajouter l'huile de tournesol. Dans un cul-de-poule, mélangez la fécule et le bicarbonate, puis assemblez les deux préparations. Ajoutez les gouttes d'huile essentielle. Conservez dans un petit pot hermétique.

SPÉCIAL PEAUX SENSIBLES

Réalisez votre gommage au sel de romarin. Prévoyez 2 bocaux de 30 cl (type Le Parfait), 600 g de sel fin, 5 brins de romarin, 5 branches de sauge, 5 branches de menthe et 5 branches d'eucalyptus (feuilles longues et fines), 65 cl d'huile de tournesol et une mousseline. Effeuillez vos « simples » avant de hacher grossièrement les feuilles. Recouvrez-les d'huile. Faites chauffer 1 heure à feu doux afin que les plantes libèrent leurs bienfaits. Filtrez le liquide avec la mousseline. Versez le sel dans un autre saladier, puis incorporez l'huile infusée aux herbes médicinales. Versez le gommage dans des pots stérilisés. Il se conserve une année. Si jamais il perdait un peu de son parfum, ajoutez 2 gouttes d'huile essentielle de romarin avant usage.

SOURIRE ULTRA BLANC

Pour arborer un sourire immaculé, rassemblez 6 cl d'huile de coco, 30 g de carbonate de calcium et 4 gouttes d'huile essentielle de menthe poivrée (proscrite pour les femmes enceintes ou allaitantes ; remplacez-la par une huile essentielle de citron). Fouettez les ingrédients à la fourchette jusqu'à obtention de votre pâte dentifrice. Ne tournez plus autour du pot, remplissez-le *illico presto* !

FAIRE

Faire sa MOUTARDE à l'ancienne

aïe, ça PIQUE !

La moutarde du supermarché n'est plus locale ? Aïe, ça pique !
Pour y remédier, allez bon train vers le made in chez moi
avec LA recette du fameux condiment.

Les ingrédients

- **30 g de graines de moutarde**
- **3 cl de vinaigre de cidre**
- **5 cl d'eau**
- **1 c. à s. de miel**
- **Sel**

La recette

1. MARINER

Versez les graines, l'eau et le vinaigre dans un bol. Laissez mariner sous un linge 12 heures à température ambiante. Le mucilage, substance gélatineuse qui se crée au contact de l'eau, va alors se développer.

2. PARFUMER

Ensuite, ajoutez le miel, le secret de la texture ! Salez.

3. MIXER

Mixez grossièrement avec un pilon ou, à défaut, par impulsions au blender.

4. VERSER DANS UN POT

Votre moutarde est presque prête. Encore un peu de patience pour laisser se développer sa saveur : placez-la au réfrigérateur pendant 2 jours au minimum.

LES 5 COMMANDEMENTS DU PARFAIT MOUTARDIER

Celle du supermarché, tu oublieras.

Des graines bio, tu utiliseras.

Ton pot en grès ou en verre, tu stériliseras.

Au réfrigérateur, tu la conserveras.

Des herbes, des épices, des fleurs, des fruits, tu mêleras.

graines de star

La moutarde dite à l'ancienne est préparée avec un mélange de graines jaunes et noires, grossièrement broyées à la meule de pierre pour ne pas libérer trop de piquant, avec du sel, du miel et la juste pointe d'acidité, autrefois un verjus, maintenant du vinaigre. Pour la moutarde jaune, les graines sont mixées finement, lui apportant ainsi une texture homogène et une saveur plus piquante.

DÉCO

DÉCO NATURE

Si le soleil boude et que les températures restent dépressionnaires, invitez fleurs et autres végétaux dans votre salon. Il paraît qu'elles sont de formidables antidépresseurs…

AU PETIT BONHEUR
L'INFLORESCENCE

Coupez les têtes des fleurs de votre choix, puis placez-les entre 2 feuilles de papier. Glissez-les entre les pages d'un livre et attendez 4 à 5 jours. Collez avec de l'adhésif double-face sur un abat-jour de lampe, un paquet-cadeau, un miroir, des galets, des bougies, un carton d'invitation…

TABLE CHAMPÊTRE

Pour qu'on vous jette des fleurs, décapitez les vôtres (marguerites, épis de blé, fleurs de carotte…), sans état d'âme, et placez-les dans une assiette creuse remplie d'eau pour leur offrir une petite piscine fraîche au milieu de la tablée.

SUSPENSION DES SOUS-BOIS

Glanez de la mousse, récupérez un peu de bon terreau, un bulbe de printemps (crocus, jacinthe, succulente) et un long morceau de corde brute. Coupez votre ficelle en 2 morceaux égaux. Réalisez sur chacun un nœud centré afin d'obtenir 4 morceaux. Formez une boule de mousse, placez-y de la terre et enfouissez votre bulbe ragaillardi au creux de ce nid. Suspendez et pschittez régulièrement la mousse afin de maintenir les racines de vos fleurs humides.

BOUQUET BLETTE *COMME CHOU*

Utilisez quelques branches de bouleau,
3 têtes d'artichaut violet et 2 de chou-rave
perchées sur des piques à brochettes,
5 branches de lilas, quelques feuilles de
blettes et de chou rouge. Rassemblez-les
en bouquet dans un vase avec de l'eau.

ÇA NOUS BOTTE

Ficelez une botte d'asperges autour
d'un bocal. Puis composez un bouquet
avec du persil plat, des fleurettes
de chou-fleur piquées sur des brochettes
et des œillets d'Inde.

MOBILE D'AROMATES

Thym, romarin, laurier, aneth,
origan, menthe, sauge… Si vous
aimez la cuisine qui fleure bon
les soirées à rallonge et le chant
des cigales, séparez-les en petits
bouquets et nouez-les avec une ficelle.
Suspendez-les à l'envers sur un fil
tendu, façon corde à linge.

BOUQUET PENDU
HAUT ET COURT

Cueillez des tiges de graminées ou des
fleurs de berce. Coupez-les à la même
dimension. Nouez-les à l'aide d'un brin
de ficelle puis attachez-les au
porte-manteau, la tête en bas, et laissez
le temps passer. Rassemblez-les pour
composer selon votre inspiration
un bouquet, que vous remettrez
dans le bon sens.

SOI-MÊME

FAIRE

8 bonnes idées autour de

LA CHÂTAIGNE

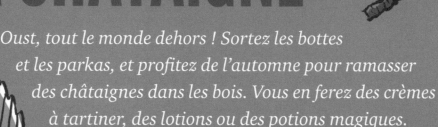

Oust, tout le monde dehors ! Sortez les bottes et les parkas, et profitez de l'automne pour ramasser des châtaignes dans les bois. Vous en ferez des crèmes à tartiner, des lotions ou des potions magiques.

1 LEÇON D'ÉPLUCHAGE

Lavez les châtaignes. À l'aide d'un couteau d'office bien aiguisé, incisez circulairement l'écorce près de la base. Placez-les dans une cocotte et recouvrez d'eau avec 1 c. à s. d'huile. Portez à ébullition et laissez frémir pendant 3 min. Égouttez et faites cuire au four 10 min à 180 °C. Laissez reposer quelques minutes et épluchez-les à chaud.

2 EN CONFITURE

Mixez 300 g de châtaignes pour obtenir une semoule. Dans une cocotte en fonte, portez à ébullition 40 cl d'eau, 10 cl de miel de châtaignier et 1 gousse de vanille fendue avec ses grains. Ajoutez la semoule de châtaigne. Faites cuire à feu doux pendant 30 min en remuant régulièrement. Lorsque le sirop s'est évaporé, retirez la gousse et mixez. Ajoutez une pincée de fleur de sel et versez dans un pot. Conservez cette confiture au frais.

3 L'INDÉCENTE TARTINADE
CHOCO-CHÂTAIGNE

Mixez 180 g de châtaignes pour obtenir une semoule, rien de plus simple. Faites fondre 180 g de chocolat et 100 g de beurre demi-sel dans une casserole, ajoutez la semoule et mixez de nouveau.

4 EN MUFFINS

Incorporez à la tartinade choco-châtaigne 3 c. à s. de crème fraîche, 4 œufs bio et fermiers, dont les blancs battus en neige. Versez dans des moules à muffins et enfournez pour 25 min de cuisson à 180 °C.

LOTION DE GORGE 5

Versez 5 g de feuilles séchées de châtaignier dans une casserole avec 25 cl d'eau froide. Portez à ébullition puis poursuivez la cuisson à petit frémissement pendant 15 min. Éteignez le feu et laissez tiédir à couvert. Filtrez. Gargarisez-vous la gorge 3 fois par jour.

6

HAA!

VADE RETRO, ARAIGNÉES !

Pour faire fuir les araignées sans les tuer, utilisez les propriétés répulsives du châtaignier : portez à ébullition 50 cl d'eau avec 10 g de feuilles séchées de châtaignier et de brindilles. Laissez refroidir à couvert. Filtrez. Versez dans un vaporisateur et pulvérisez sur leurs lieux de fréquentation.

7 CRINIÈRE D'AUTOMNE

Pour donner des reflets dorés aux cheveux châtains, portez à ébullition 10 g de feuilles de châtaignier séchées dans 50 cl d'eau. Poursuivez la cuisson à petit frémissement pendant 15 min. Laissez tiédir. Filtrez. Ajoutez 1 c. à s. de vinaigre de cidre. Utilisez en dernière eau de rinçage après le shampoing. Massez pour bien faire pénétrer. Laissez sécher à l'air libre.

LES ÉCORCES AU COMPOST 8

Que faire des écorces ? Allez, hop ! Au compost ou en paillage. Sinon, elles seront parfaites pour vos plantations. Déposez-les dans le fond des pots en guise de lit drainant.

75

SOI-MÊME

FAIRE

HUILES DE BEAUTÉ

Olive, argan, noisette, jojoba... l'huile, véritable « or liquide », hydrate notre peau sous toutes ses coutures. Si vous souhaitez voir les années glisser sur vous, à votre huile de coude !

SÉSAME, OUVRE-TOI !

Élixir de premier ordre, l'huile de sésame est une panacée pour faire sa belle. Avec elle, préparez-vous un masque pour faire « peau neuve » : 1 c. à c. d'huile de sésame, 1 c. à c. de miel liquide, 2 gouttes d'huile essentielle de carotte et 1 jaune d'œuf (facultatif). Appliquez sur la peau, laissez agir 10 min. Rincez !

LUBRIFIANT NATUREL

Il existe toutes sortes de lubrifiants dans le commerce, mais qui sait de quoi ils se composent ? Allez, on vous donne notre recette pour des ébats langoureux 100 % naturels ! Faites fondre au bain-marie 50 g de beurre de coco. Ajoutez 5 cl d'huile d'olive, puis 10 gouttes de vitamine E (bonne pour la peau !) pour la conservation.

ALLÔ, MAMAN, BOBO

Un souci ? Des soucis ! Pour les p'tits bobos du quotidien, réalisez vos propres macérats en commençant avec les fleurs de soucis (*Calendula officinalis*) recommandées pour les peaux sensibles. Achetez-en (en magasin bio ou en herboristerie) ou cueillez-les. Remplissez un pot à confiture de fleurs sèches (325 g). Recouvrez-les d'huile de noisette. Placez un morceau de tissu sur le bocal, tenu avec un élastique (l'huile doit respirer !). Placez le bocal derrière une fenêtre pour « solariser » votre huile et extraire les bienfaits de la plante. Laissez macérer 3 semaines, puis stockez dans un endroit frais, à l'abri de la lumière.

BAUME DU JARDINIER

Vous êtes adepte du jardinage ? Fabriquez votre baume pour mains gercées. Vous aurez besoin de 4 c. à s. d'huile d'argan ou de jojoba, 2 c. à c. de cire d'abeille, 1 c. à c. de miel et 15 gouttes d'huile essentielle de lavande (cicatrisante). Faites chauffer au bain-marie l'huile, la cire et le miel. Mélangez avec une fourchette et sortez du feu. Versez dans des petits pots et attendez que la température baisse avant d'ajouter l'huile essentielle. Mélangez une dernière fois, laissez prendre et étiquetez !

HUILE D'OLIVE
(AVÉ L'ACCENT !)

Plébiscitée pour son bon gras et les oméga-3 qu'elle apporte au corps, l'huile du pays des cigales a plus d'un tour dans son sac ! Riche en antioxydants, elle peut nourrir épiderme et cuir chevelu et servir de « démaquillant express » : la choisir bio et l'utiliser telle quelle.

T'AS LE LOOK, COCO

Connaissez-vous la crème fouettée corporelle ? Non ? Vous passez à côté de quelque chose ! Elle nécessite 250 g de beurre de karité, 12,5 cl d'huile de coco, 12,5 cl d'huile d'amande et 30 gouttes d'huile essentielle de tea tree. Faites fondre au bain-marie beurre de karité et huile de coco. Laissez refroidir 30 min. Ajoutez huile d'amande et huile essentielle. Placez au congélateur 30 min. Fouettez avec un batteur, puis mettez en pot ! À tartiner sur le corps sans modération.

 FAIRE

Faire son FUMOIR

Vous rêvez de fumer vos viandes, poissons ou fromages préférés ?
Pour cela, rien de plus simple, suivez le guide.

Le mode d'emploi

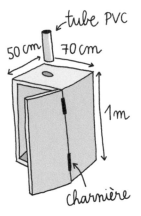

tube PVC
50 cm
70 cm
1m
charnière

1. ASSEMBLER

Vissez les planches de façon à obtenir une caisse de 1 m de hauteur, 50 cm de profondeur et 70 cm de largeur. L'une des quatre planches sera montée de façon à pouvoir être ouverte avec des charnières.

2. AMÉNAGER

Faites un trou sur le dessus pour y glisser la cheminée (un tube PVC de 6,5 cm de diamètre qui traîne dans un coin, par exemple). Si vous ne trouvez pas ce fameux coin chez vous, direction la ressourcerie.

3. TROUER

Faites ensuite 5 trous au fond du fumoir pour créer une entrée d'air et ne pas étouffer le foyer, le fumoir étant lui-même perché sur une palette. Quelques crochets en haut, à l'intérieur, pour suspendre les morceaux à fumer, et voilà.

4. CARBURER

Pour faire fonctionner votre fumoir, il vous faut des copeaux ou de la sciure de bois. Préférez le hêtre ou le frêne, même si toutes les essences sont utilisables (sauf les résineux).

5. FUMER

Fumer quoi ? À peu près tout : saucisses, lard, jambon, magrets, fromages, poissons (dans ce cas, n'utilisez le fumoir à poisson que pour le poisson, celui à viande que pour la viande…). Placez vos copeaux dans une demi-boîte d'œufs, et enflammez l'un des bords. Attention, une chaleur douce doit se dégager, idéalement 28 °C, au maximum 40 °C, et surtout pas de flammes.

Dégustation

Suivant vos goûts et le poids de votre pièce à fumer, laissez-la plus ou moins longtemps, entre 2 et 8 heures. Remplacez au besoin les copeaux ou la sciure par des copeaux frais toutes les 90 min pour que la fumée soit toujours aussi forte. Une fois votre aliment fumé, laissez-le à l'air libre durant au moins 24 heures afin qu'il prenne une belle teinte brune uniforme.

FAIRE

LÉGUMES LACTO-FERMENTÉS

Ils sont remplis de probiotiques, bons pour notre flore intestinale et faciles à faire si nous leur donnons assez d'amour. On essaie ?

CÉLERI CAROTTE

Râpez finement un céleri-rave et une carotte. Tassez-les dans un bocal. Attention à ne pas remplir à ras bord : il faut s'arrêter à 1 cm du haut du pot, sinon le mélange débordera avec la fermentation. Versez 15 g de gros sel dans ½ litre d'eau. Mélangez bien afin que le sel se dissolve. Versez sur les légumes. Tassez de nouveau. Et maintenant ? On attend 8 à 10 jours à température ambiante, puis 2 semaines entre 12 et 15 °C pour le bocal (en ce qui vous concerne, attendez où vous voulez).

PIMENT FESTIF

Pour mettre le feu en plein hiver, comptez 1 tasse d'eau pour 1 c. à c. de sel que vous verserez sur 300 g de piments. Bien immergés dans un bocal, ils patienteront 10 jours à température ambiante avant de réveiller n'importe quel dîner un peu trop calme.

BOLO CRUE

Pour une super sauce tomate sans cuisson, mélangez 1 kg de tomates mûres avec 20 g de sel, puis versez le tout dans un bocal. Ajoutez un poids avant de fermer sans visser. Placez dans une pièce chaude jusqu'à ce que les tomates aient juté. Puis attendez encore quelques jours à température ambiante avant de goûter à votre délicieuse mixture sur un plat de tagliatelles.

TEINT DE ROSE

Pour un teint éclatant, faites fermenter 600 g de betteraves crues dans 40 cl d'eau chauffée avec 12 g de sel. Recouvrez d'un poids et placez pour 2 jours à température ambiante, puis 12 jours au frais. Faites ensuite mijoter les betteraves, 600 g de tomates et 600 g de pommes de terre dans 2 litres de bouillon de légumes. Mixez et buvez (eh oui, rien ne sert *a priori* de vous en asperger le visage).

POILU DU GRAND NORD

Imaginez un cornichon avec une chapka. Non ? Suivez le guide et vous verrez : faites des petits trous dans les cornichons avec un rire sadique. Dans un bocal, recouvrez-les intégralement de 1 litre d'eau chauffée avec 2 c. à s. de sel. Laissez refroidir. Placez un poids pour que ce doux mélange reste sous l'eau. Après 2 semaines à température ambiante, dégustez avec 1 c. à c. de miel et une autre de crème en guise de condiment, à la russe.

BULBE EN POTS

Vous avez épluché trop d'oignons, de gousses d'ail ou d'échalotes pour votre popote du dimanche ? Immergez-en 1 kg dans 1,5 litre d'eau mélangée à 6 c. à c. de sel jusqu'à dissolution. Laissez 10 jours à température ambiante et glissez dans tout sandwich ennuyeux.

PRUNES

Faites tomber 1 kg de prunes d'un arbre, coupez-les en quatre, et ajoutez-leur 2 % de leur poids en sel. Versez dans un bocal en récupérant bien le sel et le jus. Laissez dormir 1 semaine à température ambiante. Mangez avec du riz blanc chaud à la japonaise.

FAIRE

6 bonnes idées autour de

LA POMME

Pour changer des tartes et des compotes, croquez des pommes dans la cuisine, la salle de bains ou la chambre.

POUR DES CHEVEUX TRÈS GOURMANDS 2

Mixez la chair d'une pomme avec 1 c. à s. de yaourt nature, 2 c. à s. de vinaigre de cidre, 1 c. à s. de miel. Après votre shampoing, répartissez le masque sur les cheveux en massant bien. Enveloppez d'une serviette. Laissez agir 30 min à 1 heure. Rincez abondamment.

CARAMEL DE POMMES

1 Dans une cocotte en fonte, versez 200 g de sucre semoule. Chauffez à feu vif avec 3 c. à s. d'eau jusqu'à l'obtention d'un caramel. Hors du feu, ajoutez 20 cl de crème fleurette. Mélangez et ajoutez 80 g de beurre demi-sel à feux doux. Lorsqu'il est fondu, ajoutez 1 kg de pommes coupées en cubes. Laissez compoter à feu doux pendant 1 heure. Mixez et réservez au frais. Ensuite, hop, une cuillerée dans le fromage blanc, sur une crêpe, une gaufre…

3 COMPLÈTEMENT BEURRÉ

Coupez en cubes 800 g de pommes. Versez-les dans une cocotte avec 5 cl d'eau et 1 c. à s. de miel. Laissez cuire à feu doux et à couvert pendant 20 min en remuant de temps à autre. Desséchez à feu vif en remuant pendant 5 min. Ajoutez 100 g de beurre demi-sel. Quand il est fondu, mixez, réservez dans un bocal et placez au frais. Le beurre fera fureur sur des tartines grillées au petit déj' ou avec du fromage au dîner.

5 POT-POURRI QUI SENT BON

Mélangez une dizaine de lamelles de pomme déshydratées, 1 verre de riz basmati, quelques bâtons de cannelle, 2 c. à s. de fleurs séchées odorantes et 3 gouttes d'huile essentielle de pomme. Versez dans des coupelles. Posez-les sur vos radiateurs en chauffe. Pour parfumer les tiroirs ou les armoires, coupez un carré dans un tissu de gaze de coton. Posez au centre le pot-pourri. Rabattez les angles et nouez avec un élastique ou un ruban. Humez votre tiroir à chaussettes. Ça sent bon, non ?

CHIPS DE POMMES 4

Coupez les pommes en fines lamelles et enfournez-les à 130 °C à chaleur tournante. Après 1 heure de cuisson, vérifiez le degré de croustillant recherché. Chaud ! À picorer à l'apéro avec une bonne bouteille de cidre brut.

LOTION AU FRUIT DÉFENDU 6

Portez à ébullition 20 cl d'eau filtrée. Lavez et râpez une pomme. Versez dans l'eau bouillante. Couvrez et laissez refroidir. Filtrez au chinois étamine en pressant bien pour extirper le jus. Ajoutez 1 c. à s. de vinaigre de cidre. Versez dans un flacon spray préalablement ébouillanté. Conservez au frais et appliquez sur votre peau pour la tonifier !

SE FAIRE UNE BIOTÉ

Votre teint fait grise mine, vos cheveux se ramassent à la pelle, vos lèvres se crevassent ?

Ouvrez vos placards, sortez vos cuillères et c'est parti pour des soins de beauté maison à croquer.

à table !

PEAU DE PÊCHE

Écrasez une pêche ou une poire bien mûre. Étalez sur votre visage et compotez 20 min. À faire 2 fois par semaine pour une super peau. Si vous attirez les abeilles avec tout ce sucre, lancez-vous dans l'apiculture (vous pourrez ajouter un peu de miel à votre préparation de beauté !).

GRAIN DE PEAU

Pour un teint d'enfer, gardez l'eau de cuisson du riz et appliquez-la en lotion sur le visage. Vous pourrez toujours essayer d'y ajouter les restes de votre risotto, mais l'effet escompté n'est pas assuré.

smack ! *smack !*

smack !

BAUME *À LA BETTERAVE*

On pourrait surnommer ce baume à lèvres « attrape-baiser » tant il est doux et sucré. Dans un bol, pressez la chair d'une betterave cuite afin d'en sortir le maximum de jus. Filtrez avant de réserver le jus au congélateur pendant 5 min. Ajoutez 2 c. à s. d'huile de coco et mélangez jusqu'à ce que le tout soit ferme et coloré. Retirez l'excédent de jus et conservez dans un petit récipient hermétique.

GOMMAGE À LA BANANE

Ne cherchez plus, votre institut de beauté se trouve dans votre cuisine. Une banane + du sucre roux = une peau de pêche. Saupoudrez l'intérieur de la peau (de banane) de sucre, frottez-vous la peau (la vôtre) et rincez.

ÇA DÉCOIFFE

Vous avez cuisiné les trois quarts de votre courge pour le dîner ? Qu'à cela ne tienne, offrez-vous un masque capillaire avec le quart restant. Mixez votre morceau de potimarron déjà cuit avec 1 yaourt et 2 c. à s. de miel. Appliquez cette purée lisse sur vos cheveux préalablement lavés. Patientez 20 min environ face à la fenêtre pour interloquer les voisins. Rincez et lavez. Vos cheveux sentent la courge, certes. Mais ils sont soyeux et hydratés.

TÊTE À LA VINAIGRETTE

Après vous être lavé le visage, imbibez une lingette lavable avec ⅓ de vinaigre de cidre, ⅔ d'eau de fleur d'oranger et 2 gouttes d'huile essentielle de tea tree. Appliquez sur votre minois le soir venu.

ANTI-PEAU GRASSE

Mixez tomate, pomme de terre cuite, concombre et ananas à poids égal. Mangez la purée si vous avez un petit creux ou appliquez-la sur le visage pendant 10 min avant de rincer. Adieu, peau grasse.

LES RIDES À LA BARRE

Pour estomper les rides, prenez un avocat. Écrasez sa chair en public. Étalez sur le visage et le cou pendant 10 min. Laissez-le plaider sa cause et rincez, évidemment.

Faire son
LEVAIN

C'est tout à fait fascinant. De la farine, de l'eau, et voilà qu'une nouvelle matière vivante apparaît, capable de faire gonfler un pain : le levain, un ferment naturel.

La recette

Les ingrédients
- 175 g de farine
- 17,5 cl d'eau

1. TOUILLER

Dans un pot, mélangez vigoureusement 25 g de farine et 2,5 cl d'eau. Laissez dans un endroit tiède, recouvert d'un couvercle percé. Attendez plus ou moins 24 heures. Le levain va commencer à buller et à gonfler.

2,5 cl d'eau

25 g de farine

50 g de farine

5 cl d'eau

2. ALLONGER

Ajoutez 50 g de farine et 5 cl d'eau. Mélangez, raclez bien les parois et remettez dans un endroit tiède. Le levain va monter puis commencer à dégonfler au bout d'environ 12 heures.

100 g de farine

10 cl d'eau

3. CONCLURE

Ajoutez enfin 100 g de farine et 10 cl d'eau. Le levain va encore monter. Après environ 8 heures, le volume n'augmente plus. Félicitations, vous êtes l'heureux parent d'un levain !

papa !

4. RETIRER

Il n'est cependant pas encore tout à fait mûr. Ôtez une partie du levain pour n'en laisser que 50 g.

5. TERMINER

Donnez-lui son poids en farine, et le même poids en eau, avant de bien mélanger. Répétez chaque jour l'opération jusqu'à ce qu'il soit fin prêt, bien « dynamique » (il double de volume après chaque « repas »), mousseux, aéré et avec une bonne odeur.

Aux petits soins

Cette mixture sera votre levain-chef. Si vous faites souvent du pain, laissez-le à température ambiante. Chaque jour, enlevez une partie de la matière et donnez un repas à votre levain (son poids en farine et en eau). Sinon, direction le frigo où il sera nourri ainsi une fois par semaine. Pour l'utiliser, réveillez-le en le faisant patienter quelques heures à température ambiante puis donnez-lui son repas habituel. Mou du genou ? Répétez l'opération sur les jours suivants jusqu'à ce qu'il reprenne du poil de la bête.

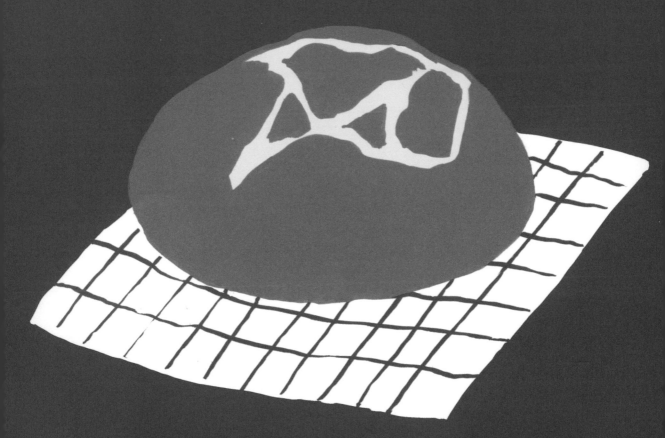
Faire son PAIN

*Vous voulez faire du pain mais vous n'avez pas de machine à pain ?
Les boulangers non plus, ça tombe bien. Ressortez la cocotte
en fonte de votre grand-mère !*

La recette

1. TOUILLER

Dans un saladier, mélangez le levain et l'eau (ni trop froide ni trop chaude). Ajoutez la farine et mélangez.

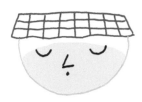

2. PATIENTER

Laissez reposer 1 heure à température ambiante. Salez la pâte en pétrissant légèrement.

3. PLIER

Attrapez le bord de la pâte. Secouez un peu en tirant vers votre menton et ramenez au centre. Tournez d'un quart de tour votre récipient, et recommencez ce pliage une petite dizaine de fois. Patientez 30 min. Répétez l'opération 4 fois au total.

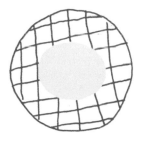

4. ÉTALER

Placez la pâte sur le plan de travail, étalez doucement avec les mains suivant la forme d'un rectangle (pour en faire sortir délicatement l'air). Ramenez les 4 coins au centre, retournez et faites glisser sur le plan de travail entre vos mains pour former une boule (« boulez », selon les termes techniques non homologués en pétanque).

5. RÉFRIGÉRER

Placez ladite boule tête vers le bas sur un torchon fariné dans un saladier, et faites-lui passer la nuit au frigo, recouverte du linge.

6. FAIRE CUIRE

Le lendemain, renversez directement dans une cocotte en fonte préchauffée au four à 260 °C et farinée dans le fond. Entaillez votre pain d'un coup de couteau. Enfournez et laissez cuire 15 min avec le couvercle et 30 min sans.

Les ingrédients

- 150 g de levain (voir p. 87)
- 30 cl d'eau
- 450 g de farine
- 9 g de sel

SOI-MÊME

FAIRE

LIMITER SON EMPREINTE CARBONE

Pour limiter le réchauffement climatique,
il faudrait passer de 12 tonnes de CO_2
à 2 tonnes par tête. Autant dire remplacer
l'empreinte du yéti dans la neige fraîche
par celle d'un renard.

Pas facile, mais pas impossible si vous
vous montrez aussi rusé que le renard,
justement : de l'isolation de votre logement
à la fabrication d'un purin d'ortie ou
de votre serviette hygiénique, il y a plein
de petits et de grands gestes pour y arriver.

Suivez le guide et empruntez le bon chemin,
garanti sans gaz à effet de serre.

C'est toujours la même histoire : la production de déchets augmente de 20 % à chaque Noël. Parmi eux, le papier cadeau brille pour son utilisation éphémère et se poste en première ligne des trucs inutiles à éviter. Emballez zéro déchet !

EMBALLER SANS POLLUER

FUROSHIKI KOI ?

Prenez un mouchoir en tissu. Disposez le présent en travers du carré. Repliez deux des côtés opposés en les superposant. Faites un joli double nœud avec les deux coins restants, n'hésitez pas à leur donner une forme de pétale. Histoire de faire une fleur à vos proches.

À L'AMÉRICAINE

Laissez-vous emballer par l'astuce outre-Atlantique avec un bon vieux bocal ou pot de confiture. Rien de tel que la transparence pour avoir l'eau à la bouche !

DÉCO FORESTIÈRE

Promenez-vous dans les bois et cueillez quelques branches de houx ou de sapin. Glissez-en une sous le nœud de la ficelle qui entoure votre cadeau. Gardez les champignons trouvés en chemin pour vous.

CADEAU DE CADEAUX

Vous avez été gâté par le père Noël cette année ? Conservez les emballages dans un coin et réutilisez-les l'année suivante pour offrir les vôtres. Prenez garde tout de même à changer le contenu du cadeau.

VIEILLES FEUILLES

Papier journal, couverture de magazine, vieille carte routière : faites les fonds de tiroir, fouillez la boîte à gants pour dénicher de quoi emballer vos présents. Ajoutez une ficelle brute… emballé, c'est pesé !

SANG DE PATATE

En lieu et place des étiquettes, créez un tampon avec une pomme de terre germée pour indiquer le prénom du destinataire. Coupez-la en deux, incisez le motif de votre choix et mettez un peu de peinture ou d'encre dessus afin d'imprimer sur le papier. Choisissez d'autres tubercules que celle-ci pour votre poêlée du soir.

ASTUCE DE PINCE

Fermez les sacs en papier sans ruban adhésif ni agrafe : utilisez à la place une pince à linge en bois où vous inscrirez un petit mot d'amour.

PANIER GARNI

Pour valoriser le contenu du traîneau, chopez une cagette en bois qui traîne. Peignez-la de la couleur qui vous plaît et remplissez-la de fruits de saison, de bocaux de condiments et d'épices pour un cadeau très gourmand !

7 bonnes idées autour de

L'ŒUF

Qui de l'œuf ou de la poule fut le premier ? Vous séchez ? Nous, on a toujours cru en l'œuf, pour toutes les astuces qu'il nous réserve...

1 DÉTACHANTS AUX ŒUFS D'OR

Les coquilles peuvent être utiles à l'heure de la vaisselle. Essayez donc : broyez 1 ou 2 coquilles, passez cette poudre sur les parois de la casserole à récurer avec une goutte de produit vaisselle et rincez !

3 DES ŒUFS DANS LE POTAGER

Si, malgré vos chasses nocturnes, les limaces vous narguent au potager, sortez l'arme fatale : la coquille d'œuf écrasée, un excellent rempart antigastéropodes. Il suffit de la disposer tout autour des plants à protéger, comme une muraille infranchissable.

2 BLANC COMME NEUF

Saviez-vous que le blanc d'œuf n'a pas son pareil pour faire briller les meubles en bois et même détacher un pull en laine ? Seul bémol : agissez avant l'arrivée de vos invités, qui pourraient trouver cela tarte.

beurk

4 SEMEUSE DE BONS PLANTS

Non cuite, la coquille peut servir à recevoir les semis. C'est un très bon support, riche en nutriments. Rincez chaque demi-coquille, faites-y un petit trou d'égouttage au fond. Remplissez-la de terreau et placez-y 1 ou 2 graines à faire germer. Une fois le plant prêt à être transplanté au potager, placez la coquille entière ou écrasée en terre. Patientez quelques mois. Récoltez.

5 VÉRŒUFICATION

Pour savoir si votre œuf est encore frais, plongez-le dans un verre d'eau. Il reste au fond ? C'est qu'il est bon. Entre deux eaux, on le mange dare-dare. Et s'il flotte, on le jette !

6 COQUILLE-CAFÉ

Arf, votre café est trop fort, dur à avaler ? Hop, rendez-le moins acide en plaçant une coquille d'œuf nettoyée et écrasée dans le filtre. Vous allez adorer vous lever.

7 NUMÉRO GAGNANT

Comment savoir si votre œuf est couvé par une poule heureuse ? En scrutant les coquilles, pardi ! Vous y verrez de drôles de numéros :

0 : LE NIRVANA
L'œuf est pondu par des poules nourries avec une alimentation biologique et élevées en plein air.

1 : LE PARADIS
L'œuf est pondu par des poules élevées en plein air. De celles qui peuvent voir le jour, se dégourdir les pattes, picorer dehors.

2 : LE PURGATOIRE
L'œuf est pondu par des poules élevées au sol qui restent enfermées dans un bâtiment et ne peuvent jamais sortir.

3 : L'ENFER
L'œuf est pondu par des poules élevées en cage, en prison, derrière des barreaux. Dire que ça existe encore…

On regarde bien les coquilles la prochaine fois qu'on fait ses courses, d'accord ?

LIMITER SON

Dites, il ferait pas un peu froid chez vous ? Au lieu de monter le thermostat, cherchez à mieux isoler votre logement. C'est une mesure très efficace pour limiter les émissions de gaz à effet de serre.

ISOLER SON LOGEMENT

FAIRE LE BILAN

Avez-vous droit à un prêt à taux zéro, une exonération de la taxe foncière ou une aide des collectivités locales ? Pour le savoir, demandez l'avis d'un expert du réseau public FAIRE (Faciliter, Accompagner et Informer pour la Rénovation Énergétique **faire.gouv.fr**). Gratuitement et en toute indépendance, il va faire un bilan de votre consommation, identifier les aides possibles et les travaux prioritaires.

ARTISANS CERTIFIÉS

Pour ne pas vous tromper d'artisan, choisissez ceux qui ont la mention RGE (Reconnu Garant de l'Environnement). C'est une reconnaissance accordée par l'Ademe (Agence de la transition écologique) à des professionnels engagés dans une démarche de qualité.

VENTILATION ET ÉTANCHÉITÉ
EN PREMIER

Avant d'entamer de grands travaux dans votre nid, commencez par vérifier la ventilation (il faut chasser l'humidité pour éviter les moisissures, la dégradation des murs…) et l'étanchéité (une fuite d'air, et tous vos efforts seraient ruinés).

LE TOIT CHEZ MOI

Les travaux peuvent se révéler coûteux, mais ils valent en général la dépense. L'isolation du toit est souvent l'action la plus rentable, celle qui fera baisser votre facture de chauffage jusqu'à 30 %. C'est mathématique : l'air chaud est plus léger, c'est là-haut qu'il se dirige et se refroidit si votre toit est mal isolé.

ISOLER LES MURS

Par l'extérieur ou l'intérieur ? Faites le calcul coûts/avantages. Par l'extérieur : la facture est souvent plus lourde, cela protège des variations climatiques. Par l'intérieur : les travaux sont moins chers, mais la surface habitable va diminuer, cela peut gêner l'ouverture des fenêtres. Choix cornélien !

FIBRES DE BOIS

On appelle aussi ces fibres « laine de bois ». Elles sont issues de chutes de bois, le plus souvent. Évitez celles qui sont liées avec des additifs à base de polyester ou polyuréthane pour composer des panneaux. Et sachez qu'elles ne conviennent pas à un intérieur trop humide.

PENSEZ AU CHANVRE

Dans la famille des isolants écolo, demandez le chanvre ! Il a tout bon. Sa culture est économe en eau et sans intrant chimique. Il régule l'humidité de l'air. C'est un isolant thermique autant qu'acoustique. Et il garde votre air sain car il n'émet aucune particule toxique.

LA QUESTION DES FENÊTRES

On n'arrête pas le progrès dans ce secteur. Il y a les doubles vitrages classiques : deux verres avec de l'air au centre. Les doubles vitrages à isolation renforcée (VIR) : la lame entre les deux vitrages est remplie d'argon et l'un des verres est couvert d'une fine couche transparente à base d'argent. Et enfin, les triples vitrages : trois verres emprisonnant de l'argon ou du krypton.

ISOLANTS RECYCLÉS

Si vous êtes adepte du recyclage, deux options se présentent à vous :
LA OUATE DE CELLULOSE
composée de fibres de cellulose issues de papier recyclé ; elle est très résistante, isole aussi du bruit, est antifongique et son rapport qualité/prix est très bon.
MÉTISSE®
une gamme d'isolants thermiques et acoustiques en coton recyclé, fabriqué par le Relais, la branche textile d'Emmaüs.

LIMITER SON

Faire son
LINIMENT
OLÉOCALCAIRE

areuh

C'est le top pour protéger les fesses de bébé : la chaux rétablit le pH et le film gras de l'huile a un effet protecteur. Appliquez à l'aide d'un coton sur peau propre et sèche. Faites pareil pour vous en lotion démaquillante ou apaisante sur le visage. Le liniment s'applique également sur les cuirs pour les nourrir.

Le mode d'emploi

Les ingrédients

- 10 g de chaux aérienne
- 1 litre d'eau
- 25 cl d'huile d'olive
- 1 c. à s. de cire d'abeille
- 25 cl d'eau de chaux
- 5 gouttes d'huile essentielle de pamplemousse (facultatif)

1. MÉLANGER

10 g de chaux aérienne
+ 1 litre d'eau froide,
et filtrez. Garanti fabrication
maison sans cochonneries.

10 g de chaux aérienne

1 litre d'eau froide

2. CHAUFFER

Faites fondre au bain-marie
cire d'abeille et huile d'olive
(ou d'abricot ou d'amande).

huile d'olive

cire d'abeille

3. MIXER

Mélangez progressivement avec 25 cl d'eau
de chaux, puis utilisez un mixeur plongeant
ou un fouet pour amalgamer.

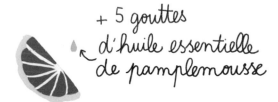

25 cl d'eau de chaux

4. PARFUMER

Ajoutez éventuellement 5 gouttes
d'huile essentielle de pamplemousse
pour la conservation, au sec et à l'abri
de la lumière, entre 2 et 4 mois.

+ 5 gouttes
d'huile essentielle
de pamplemousse

Utilisation

Vous obtenez en principe une crème onctueuse légèrement jaune. Si cela
ressemble davantage à un bœuf bourguignon, c'est que vous vous êtes planté
de page dans votre livre de recettes. Avant chaque utilisation du liniment
que vous aurez versé dans un contenant propre, n'hésitez pas à secouer,
car l'huile et l'eau se séparent.

LIMITER SON

TRIER BIEN, TRIER MALIN

Allô, la mairie ? C'est le premier réflexe à avoir, les consignes de tri variant en fonction des territoires. Mais ce n'est pas le seul…

ON ÉVITE …

- D'ôter les bouchons des bouteilles en plastique : ils sont recyclables.
- D'encastrer les éléments les uns dans les autres : ils deviendraient difficiles à séparer au centre de tri.
- D'écrabouiller les volumes : ça perturbe la reconnaissance automatique des objets par les machines de tri.

ORGANISER SA CUISINE

Pour le choix des poubelles – en caisses récup' ou signées par des designers ! –, on vous fait confiance. Quel que soit votre style, la bonne idée, c'est d'afficher les consignes de tri juste à côté pour que toute la maisonnée soit au courant.

LA BONNE APPLI

Avec l'appli « Le Guide du Tri » (disponible aussi sur le site consignesdetri.fr), saisissez le nom ou la marque de l'emballage, géolocalisez-vous et vous saurez dans quel bac jeter ou s'il faut se rendre sur un point de collecte ou à la déchèterie.

CHERCHE ET TROUVE

Il est où, le point de collecte…
- des textiles et chaussures : refashion.fr
- des piles et petites batteries : corepile.fr
- des appareils électriques et électroniques : ecosystem.eco

SUIVRE LES LOGOS

 Le Triman : l'emballage doit être trié à domicile ou rapporté dans un point de collecte. Attention, il ne figure pas encore sur tous les produits concernés !

 La poubelle barrée : il indique les produits (lampes, piles…) faisant l'objet d'une collecte séparée, en magasin ou en déchèterie.

 Le ruban de Möbius : il désigne un emballage recyclable.

Attention (bis) : ces deux logos ne sont pas des consignes de tri :

 Le Tidy man incite juste les consommateurs à jeter le déchet dans une poubelle.

 Le Point vert signale une entreprise partenaire du programme français de valorisation des emballages ménagers.

LE LIÈGE EN LIESSE

Une fois extraite, l'écorce du chêne-liège ne se régénère qu'au bout de neuf ans. Pour ne pas gaspiller cette noble ressource, recyclez vos bouchons en liège dans les points de collecte recensés sur **planeteliege.com**. Ils deviendront des produits non alimentaires, isolants ou des objets design.

TRIER POUR UN CINÉ

Le tri dans les grandes villes dépasse rarement 20 % des déchets recyclables. Pour nous encourager à mieux faire, l'entreprise Yoyo a trouvé le truc. Les « trieurs » collectent des bouteilles en plastique, les remettent à leur « coach » (gardien d'immeuble, commerçant…). Les uns et les autres sont récompensés par des places de ciné ou de matchs de foot. Toutes les infos sur yoyo.eco.

ÇA VA FAIRE UN CARTON !

L'association d'insertion parisienne Carton plein récupère cette ressource abondante dans la capitale, où l'on déménage souvent. Elle les collecte pour les revendre et réaliser des déménagements. Le tout, à vélo ! Toutes les infos sur **cartonplein.org**.

BIODÉCHETS

En 2025, toutes les collectivités françaises auront l'obligation de permettre le tri des déchets organiques. Pour savoir si c'est déjà le cas chez vous et connaître toutes les solutions pour vos épluchures, rendez-vous sur **biodechets.org**.

LIMITER SON

PARFUMER SANS POLLUER

Pour parfumer toute la maison sans charger l'air en composés organiques volatils (les tristement fameux COV), oubliez les sprays en tout genre vendus dans le commerce. Vous pouvez, avec les moyens du bord, diffuser des odeurs délicieuses qui ne nuiront à personne.

D'ABORD, DÉSODORISER

Le produit indispensable pour chasser les odeurs persistantes, c'est le bicarbonate de soude :

DANS LE RÉFRIGÉRATEUR

Versez-en un peu dans une coupelle non couverte.

DANS UNE PIÈCE

Déposez une casserole dans laquelle vous aurez au préalable fait bouillir ½ litre d'eau avec 3 c. à s. de bicarbonate.

POUR UN MATELAS

ou un tapis imprégné d'une odeur de pipi, saupoudrez, laissez agir une nuit et aspirez !

BOUGIE EN CIRE D'ABEILLE

Investissez dans des bougies composées à 100 % de cire d'abeille et sans paraffine, parfums ni colorants. Elles sont plus chères, mais ne dégagent pas de COV. Et vous deviendrez vite accro à leur subtil parfum de miel.

FUMET DE LAURIER-SAUCE

Le laurier-sauce, celui qu'on utilise en cuisine (ne confondez surtout pas avec le laurier-rose et le laurier-cerise, toxiques), est réputé pour ses vertus apaisantes en plus de son délicieux parfum. Dans une coupelle, faites brûler une feuille de laurier bien sèche. Ça marche aussi avec des feuilles de sauge !

POT-POURRI PERSO

Choisissez les plantes qui vous plaisent : écorces d'agrumes, pétales de rose, épices (bâtons de cannelle, anis étoilé, grains de café, gousses de vanille dont vous avez déjà utilisé les graines en cuisine…), bois de santal, etc. Faites sécher à l'air libre celles qui en ont besoin, puis disposez votre composition olfactive dans une jolie coupelle.

PLANTES D'INTÉRIEUR

Si vous les choisissez d'abord pour leurs qualités décoratives, intéressez-vous aussi à leurs délicieux parfums : le gardénia qui fait tourner la tête comme le jasmin ; le calamondin (hybride de mandarinier et de kumquat) dont les fleurs, puis les fruits, vont vous transporter en Andalousie ; la coelogyne, orchidée blanche dont le parfum s'apparente à celui du muguet ; le frangipanier qui fait saliver avec son odeur d'amande sucrée…

ASPIRATEUR *À ODEUR*

Votre aspirateur diffuse une délicate fragrance de poussière et de renfermé ? Proposez-lui une solution miracle : disposez un petit tas de bicarbonate de soude (qui agit comme désodorisant) sur le sol et quelques herbes aromatiques (du thym, de la lavande ou du romarin, par exemple) et aspirez !

POMME D'AMBRE

Sous ce nom trompeur se cache une orange piquée de clous de girofle (comptez-en une vingtaine). Avant de la glisser dans un placard, où elle protégera en prime vos vêtements des mites, laissez-la sécher 2 semaines. Vous pouvez en déposer dans toutes les pièces, partout où les notes d'agrume et d'épices apporteront du réconfort.

EUCALYPTUS SÉCHÉ

En balade, si vous croisez la route d'un eucalyptus, prélevez-en quelques branches, de quoi composer un bouquet. Vous le ferez sécher chez vous, tête en bas, afin qu'il diffuse ses huiles essentielles revigorantes.

EMPREINTE CARBONE

LIMITER SON

CUISINER VEGGIE

Et si on levait le couteau sur la viande ? Pour régaler toute la tablée, préparez de bons petits plats sans barbaque. Vos convives n'y verront que du feu.

CHILI SIN CARNE

Plat très nourrissant, le chili con carne se cuisine aussi sin carne ! On essaie ? Pour 4 personnes, émincez 2 oignons et 1 gousse d'ail, 1 poivron et 2 carottes. Faites-les revenir dans une poêle avec 200 g de haricots rouges cuits. Saupoudrez d'épices et ajoutez une sauce tomate maison. Laissez mijoter et ciselez de la coriandre fraîche au-dessus au moment de servir ! Accompagnez de riz blanc et d'un zeste de citron.

HACHIS PARMENTIER SANS VIANDE

Le hachis sans viande, vous connaissez ? Pour le réaliser, il vous suffit d'une belle purée, préparée avec du lait végétal, parfumée d'un peu de muscade, sel et poivre. Pour la garniture, hachez 3 oignons, 4 carottes, 1 poireau et 2 navets. Faites-les revenir à la poêle avec un peu d'huile d'olive et laissez cuire 15 min dans leur jus à couvert. Ajoutez quelques herbes aromatiques, puis montez le tout dans un plat à gratin : une couche de purée, puis une couche de légumes et ainsi de suite. Enfournez à 180 °C pour 30 min. Archi bon !

FAIRE SON FAUXMAGE

Pour aller plus loin, essayez le fauxmage, l'alternative vegan au fromage. Une recette simplissime ? Le petit frais de cajou. Faites tremper 100 g de noix de cajou nature dans de l'eau pendant 8 heures. Rincez soigneusement, égouttez. Mixez avec une pincée de sel, le jus d'½ citron, 3 c. à. s. d'eau, 2 c. à c. de levure maltée, 1 c. à. s. d'ail en poudre, 1 c. à. s. d'huile d'olive. Placez au frais et consommez dans les 5 jours.

COMMENT REMPLACER LES PROTÉINES ANIMALES ?

La combinaison magique pour une assiette super équilibrée et végétarienne :

• **1 céréale** (complète de préférence, comme le riz ou les pâtes),

• **1 légumineuse** (lentilles ou haricots rouges),

• **1 légume** (local, de saison et bio si possible).

VOUS AVEZ LA DHAL ?

Pour un repas végétarien riche en protéines, optez pour le dhal de lentilles : pour 2 personnes, faites cuire 160 g de lentilles et faites revenir dans une poêle à côté des épices variées (gingembre, curry ou autres) avec ½ oignon et ½ gousse d'ail. Ajoutez 2 c. à. s. de concentré de tomates et 14 cl de lait de coco. Y verser les lentilles cuites préalablement. Déposez la préparation sur une portion de riz cuit pour un repas complet et délicieux.

BURGER SANS CO_2

Quand on sait qu'il faut 2 400 litres d'eau pour fabriquer un burger, on se dit qu'il est temps de passer au burger de… quinoa ! Pour un bon steak végétal, mélangez : 170 g de quinoa français cuit, 240 g de haricots rouges cuits écrasés à la fourchette, ½ oignon haché, quelques morceaux de tomates séchées, 1 à 2 c. à. s. de Maïzena et une pincée de curcuma. Formez vos steaks à la main. Faites cuire à la poêle, de chaque côté, et assemblez avec de la salade, des tomates, du fromage, dans deux tranches d'un bon pain à burger, idéalement artisanal.

LIMITER SON

7 bonnes idées autour de

L'ORANGE

Avec sa pulpe riche en vitamine C,
l'orange est une petite bombe acidulée.
Mais pas que… Faites-lui la peau
avec ces quelques astuces.

2 REMÈDE TONIQUE

Un petit mal de ventre ?
Mélangez 36 cl de jus
d'orange sans sucre ajouté
et sans pulpe, 60 cl d'eau
bouillie et une pincée de sel.
Buvez le mélange par petites quantités
(il se conserve 24 heures).
Ça va mieux, non ?

1 SUPRÊMES D'ORANGE

Pour devenir expert en suprêmes,
décapitez les deux pôles du fruit,
enlevez franchement la peau
avec un grand couteau. Puis prélevez
chaque quartier avec un couteau plus
fin bien affûté, en longeant la peau.
Et hop ! vous pouvez déguster.

MÉNAGE VITAMINÉ 3

Vous faites souvent le plein
de vitamines en consommant une
dose d'agrumes et vous jetez les peaux
à la poubelle ? Pour effacer toutes
ces années de décadence, ajoutez
les écorces de 3 fruits dans de l'eau
vinaigrée (⅔ d'eau et ⅓ de vinaigre
blanc). Laissez macérer pendant
2 semaines. L'acide citrique contenu
dans les écorces d'agrumes dissout
les graisses, tandis que le vinaigre
blanc désinfecte les surfaces à nettoyer.
Retirez les peaux avant utilisation
et pschittez !

TRANCHE DE CAKE 4

Mixez finement une orange, une clémentine ou une mandarine entière non épluchée, mais blanchie dans l'eau pour enlever l'amertume. Ajoutez cette pulpe à la base de votre gâteau au yaourt. C'est moelleux et parfumé… Merci qui ?

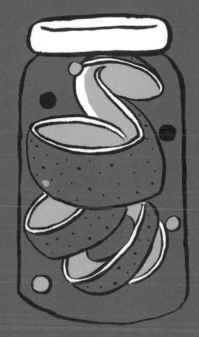

6 TRAÎNÉE DE POUDRE

Même procédé que pour l'huile : brossez l'orange et séchez-la. Prélevez son zeste en spirale puis coupez-le en petits morceaux. Étalez-les sur un plat. Laissez sécher à température ambiante pendant 3 jours. Réduisez en poudre au robot. Mayonnaise, beurre blanc, tisane, cake, pâte à crêpes : saupoudrez tout, tout, tout d'épice d'orange !

AVANT DE DORMIR 7

Versez de la poudre d'écorce séchée dans des petits sachets d'organza. Placez-les dans les tiroirs et les armoires, pour parfumer le linge et éloigner les mites. Ou sous l'oreiller pour accueillir Morphée.

5 BAIN HUILÉ

Brossez l'orange sous l'eau froide, puis séchez-la et découpez son zeste en spirale. Placez-le dans un bocal de 50 cl. Versez une huile d'olive fruitée, douce et de qualité. Ajoutez quelques grains de poivre, de coriandre et de cardamome. Fermez. Laissez mariner 1 semaine pour que le zeste et les épices parfument l'huile. Utilisez-la pour aromatiser vos salades, un filet de poisson, un houmous ou une sauce au fromage blanc.

zzz

Faire son
PURIN D'ORTIE

Le purin d'ortie est un excellent engrais qui stimule la croissance des plantes. Il permet également d'éviter les pucerons et autres insectes ou de booster un compost à la dégradation capricieuse. Si Monsanto savait qu'il suffit d'une balade en forêt pour donner de la vigueur à son jardin...

Le mode d'emploi

1. RÉCOLTER

Allez cueillir des orties, avec des gants, sauf si vous avez des mains en métal. C'est à ce moment qu'il faut vous prévenir : ça va shmoucker, faire frétiller les narines, ça va sentir mauvais, quoi. Vous voilà averti pour le choix de l'emplacement de fermentation du purin.

Le matériel

- Des orties
- 1 grand bac
- 1 passoire
- 1 grand bâton
- 1 pulvérisateur

3. FILTRER

Quand les bulles se sont dissipées, vous pouvez filtrer. Plus l'opération sera soignée, plus le liquide sera dépourvu de particules, et plus il se conservera longtemps. Placez les morceaux d'ortie au compost et le liquide dans une bouteille de verre ou plastique. À conserver au frais et à l'abri de la lumière.

PURIN 2021

2. IMMERGER

Hachez les orties et noyez-les dans un grand bac. Couvrez et mélangez tous les 2 jours. C'est le même principe que pour votre kéfir (voir p. 150) : si ça bulle quand on touille, c'est que ça fermente, donc pas touche ! Le processus est plus rapide au printemps-été que pendant les saisons froides. Comptez 1 à 2 semaines.

10 litres d'eau pour 1 kg d'orties

4. DILUER

1 litre de purin pour 10 litres d'eau avant toute utilisation (cette bombe fertilisante est tellement intense et concentrée que les plantes n'y résisteraient pas). Versez le liquide dans un pulvérisateur. Il peut agir en prévention des insectes sur les feuilles ou contre les champignons au pied des plus fragiles.

1 litre de purin

10 litres d'eau

Point trop n'en faut

Comme toutes les bonnes choses, il ne faut pas en abuser. Pendant la période de floraison et de fructification, si vous voulez une récolte future, abstenez-vous. Tardivement dans la saison, il ne faut plus stimuler le feuillage au risque d'interrompre la croissance des racines ou des bulbes, par exemple. Voyez le purin comme un engrais chimique super puissant (mais sans chimie), et utilisez-le en complément d'une terre déjà fertile grâce à des couvertures végétales et des apports en fumier.

SE DÉPENSER ÉCOLO

Allez, ne lâchez rien.
Courez, dansez, pédalez, glissez,
sautillez… tout en restant écolo !
Motivés ?

ACHETER D'OCCASION

Pour dénicher une raquette ou un kimono de judo, leboncoin.fr est toujours un bon plan. Vous pouvez aussi consulter linkNsport.com où des professionnels (salles de sport, kinés, magasins de location, associations sportives, etc.) vendent leur matériel.

LOUER PLUTÔT QU'ACHETER

kyango.com vous met en contact avec les loueurs de vélos, paddles ou surfs. Si vous allez sur le site de petites annonces de location de matériel entre particuliers kiwiiz.fr, vous trouverez une belle section dédiée au sport.

LES RECYCLERIES DU SPORT

L'association Recyclerie sportive milite pour un sport zéro déchet. Elle collecte des équipements sportifs que vous pouvez acheter dans ses boutiques de Paris, Massy-Palaiseau (Essonne) ou Mérignac (Gironde). Vous pouvez aussi assister à des ateliers de coréparation pour remettre en état vos vélos (voir p. 42), skates, raquettes, skis ou même vêtements.

COURIR AVEC UN SAC-POUBELLE

Le jogging, c'est complètement dépassé. La pratique tendance s'appelle *plogging*, la lettre « p » du mot provenant du suédois *plocka upp* (ramasser). Il s'agit de courir avec un sac-poubelle à la main pour y fourrer les déchets rencontrés en chemin. Courir utile, c'est possible !

LA CHARTE DU RANDONNEUR

Suivez les bons conseils de la Fédération française de randonnée. Dans sa « charte du randonneur », elle vous engage notamment à rester sur les sentiers, garder les chiens en laisse, récupérer les déchets, ne pas cueillir les fleurs.

MARQUES ÉCOLO

S'il vous faut acheter, choisissez les marques éthiques qui utilisent du coton bio et des matières recyclées. Patagonia pour ses vêtements d'extérieur (**eu.patagonia.com**). Veja pour son modèle de runnings (**veja-store.com**). Kitiwake (**kitiwake.com**) ou Organic basics (**organicbasics.com**) pour une tenue de yoga ou de pilates.

LIMITER SON

Faire sa
SERVIETTE HYGIÉNIQUE
réutilisable

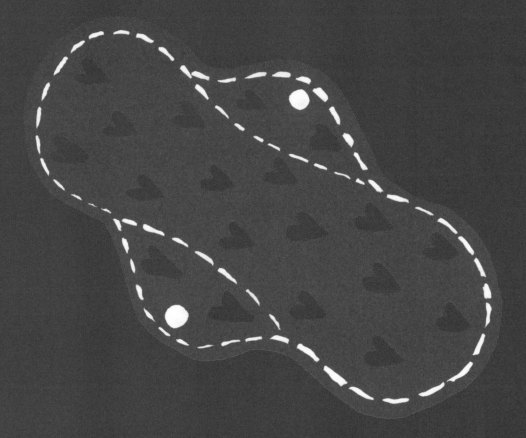

Serviettes, tampons, protège-slips... côté menstruations, il est grand temps de faire sa révolution ! Alors que la composition des serviettes périodiques jetables et des tampons hygiéniques laisse à désirer, faites le plein de solutions alternatives et zéro déchet pour des règles saines au naturel.

Le mode d'emploi

1. DÉCALQUER

Réalisez un patron sur une feuille de papier-calque à partir d'une serviette périodique lavable ou jetable, en ajoutant 1 cm de marge sur tout le tour. Découpez le patron et coupez une pièce dans le tissu et une autre dans le tissu imperméable.

2. DÉCOUPER

insert

Coupez un insert (la bande absorbante qui sera placée à l'intérieur de la serviette) dans une ou plusieurs épaisseurs de tissu absorbant après avoir tracé son patron sur du papier-calque.

3. SUPERPOSER

Placez le tissu qui sera en contact avec la peau sur le tissu imperméable, endroit contre endroit.

tissu en contact avec la peau

4. INSÉRER

Glissez l'insert entre les deux pièces de tissu.

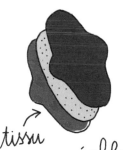

tissu imperméable

5. ACCROCHER

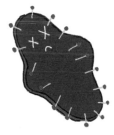

Épinglez toutes les épaisseurs ensemble pour qu'elles ne bougent pas.

6. COUDRE

Cousez tout le tour, à 1 cm du bord, en laissant une ouverture sur une ailette.

sans couture

7. FIXER

Retournez sur l'endroit et faites ressortir les arrondis avec la pointe d'une paire de ciseaux. Fermez l'ouverture. Posez une partie d'un bouton-pression sur une ailette, l'autre partie sur l'autre ailette.

LIMITER SON

ÇA BRILLE EN CUISINE

Inox, fonte, fer, terre cuite, bois… ça s'entretient comment ? Rappel des besoins de chacun pour ne plus mélanger les produits d'entretien.

INOX ♥ PIERRE D'ARGILE

Idéale pour nettoyer, dégraisser, polir sans rayer, la pierre d'argile est l'amie des batteries de cuisine en inox. Aussi baptisée « pierre d'argent », cette pâte compacte, à base d'argile blanche et de bicarbonate, se révèle tout aussi efficace pour faire briller le cuivre, l'argenterie ou même les carreaux de la cuisine.

DU BOIS SEC ET PROPRE…

Planches et cuillères en bois aiment rester au sec. Elles exigent donc qu'on les essuie avec soin, après la vaisselle. Pour les désinfecter et éviter qu'elles se transforment en nid à bactéries, offrez-leur, de temps à autre, un bain de 20 min environ dans un mélange d'eau et de vinaigre blanc. Sans oublier de bien sécher aussitôt après !

… ET BIEN NOURRI

Vos ustensiles en bois apprécient aussi un massage occasionnel, tout en douceur, avec une bonne huile pour nourrir leurs fibres. Choisissez une huile du placard : olive, tournesol…

POUR LA FONTE BRUTE

La fonte brute, sans revêtement, se bonifie avec l'âge. Poêles et cocottes forgées dans ce beau matériau sombre durent plusieurs générations si on ne leur inflige aucun détergent. Pour les nettoyer, de l'eau chaude et une brosse suffisent. Et badigeonnez-les d'huile, sans oublier bien sûr les éventuels couvercles, avant de les ranger.

L'ACIER *C'EST CULOTTÉ*

Les poêles en acier saisissent les aliments à merveille. Leur fond est noirci par le temps et l'usage ? C'est tant mieux ! Elles deviennent ainsi super antiadhésives. Alors, pour bien préparer une poêle neuve en acier, il faut la culotter. La laver à l'eau chaude, l'essuyer. Verser de l'huile jusqu'à ce qu'elle fume, s'en débarrasser. Et essuyer la poêle avec un chiffon.

L'ACIER DÉGLACÉ

Pour le nettoyage de l'acier, pas de détergent. Déglacez le fond en faisant chauffer de l'eau sur le feu, puis essuyez-le avec soin. À l'occasion, faites chauffer du gros sel dans la poêle pendant une bonne minute pour la purifier. Et hop, essuyez (encore et toujours !) avant de la ranger au sec.

IMMERGER SA TERRE CUITE

Les plats à tajine ou à gratin en terre cuite doivent être immergés pendant 12 heures environ avant la première utilisation. Gorgés d'eau, ils résistent mieux aux changements de température.

NOURRIR SA TERRE CUITE

Pour éviter l'assèchement de la terre au fil du temps, frottez sur sa surface une gousse d'ail ou un chiffon imbibé d'huile (celle que vous utilisez pour la salade !), sans omettre l'extérieur du plat, en particulier la partie inférieure en contact avec le feu.

POUR L'INOX *NI JAVEL NI GROS SEL*

Deux infos importantes. Primo, les produits chlorés, de type Javel, sont capables de trouer le fond de votre casserole. À proscrire ! Secundo, évitez aussi le contact direct du gros sel. Pour saler l'eau des pâtes, par exemple, attendez l'ébullition pour le faire : le sel se dissoudra aussitôt sans attaquer le fond.

GARDE-ROBE ÉCOLO

Votre penderie déborde ? Sachant qu'elle contient sûrement plus que le nécessaire – 100 milliards de vêtements sont vendus par an dans le monde – et est pleine de pesticides (ceux utilisés pour produire le coton), il est temps de l'alléger !

TRIER ET RANGER

Pour guérir du syndrome « j'ai rien à me mettre » face à une penderie pleine à craquer : rangez, triez, associez ! Redécouvrez les trésors qui dorment au fond de votre placard au lieu d'acheter de nouveaux vêtements.

VIVE LES ARTISANS

Dans leurs petites boutiques, ils prolongent l'existence de vos vêtements et souliers en cuir préférés. Changer une fermeture éclair, adapter une robe, raccourcir un pantalon, ressemeler des bottes… Certaines retoucheries et cordonneries sont recensées sur le site **annuaire-reparation.fr**.

BIEN CHOISIR SON JEAN

Les démarches écoresponsables
se multiplient dans l'univers du jean.
Comment s'y retrouver ? Il suffit de dire :

- **Oui** au coton bio, au chanvre ou au lin.
- **Non** au jean extensible, avec
  du polyester, matière polluante,
  qui rend le pantalon difficile à recycler
  en fin de vie.
- **Oui** aux labels Bluesign et Standard
  100 d'OEKO-TEX, qui garantissent
  l'exclusion de matières chimiques,
  dangereuses pour la teinture
  ou le traitement du jean.
- **Non** aux jeans délavés, qui utilisent
  des procédés énergivores et polluants.
- **Oui** à la transparence. Préférez
  les marques qui précisent le lieu
  et les conditions de fabrication.

LES MARQUES À SUIVRE

Acheter éthique, d'accord, mais
vous préférez du made in France
ou du commerce équitable ? du recyclé
ou des matières bio ? Pour trouver
les marques de mode éthiques qu'il
vous faut, rendez-vous sur les annuaires
thegoodgoods.fr et **sloweare.com**.

ACHETER D'OCCASION

Du shopping avec un bilan carbone
impeccable ou quasi ? Ça existe dans
les magasins de seconde main. Il n'y a
aucun mal à abuser des boutiques
Emmaüs (plus de 70 d'entre elles
sont dédiées aux vêtements, voir le site
lerelais.org), des friperies ou autres
dépôts-ventes.

LAVER MAIS PAS TROP

Au moment du lavage, les vêtements
synthétiques libèrent des fibres plastiques,
non filtrées dans les stations d'épuration,
qui polluent rivières et océans. Lavez-les
le moins possible ou, mieux encore, évitez
de les acheter.

RECYCLER

Eco TLC, la filière de recyclage
du textile, dispose de près de
46 000 points de collecte en France :
conteneurs, ressourceries, etc.
(leur liste figure sur refashion.fr).
Vous pouvez y déposer tous les textiles
et chaussures, même usés, à condition
qu'ils soient propres et secs. Ceux
qui sont en bon état seront réutilisés,
les autres seront transformés
en nouveaux produits (chiffons,
isolants) ou incinérés, en dernier
recours.

LIMITER SON

DOUCEURS SANS CONSERVATEURS

Huile de palme, colorants, conservateurs…
Tout ce petit monde s'infiltre dans les biscuits
industriels. Le temps est venu de les détrôner
avec de bonnes contrefaçons 100 % maison !

LE PASTICHE DU PETIT ÉCOLIER

Faites fondre 6 cl de lait avec 125 g
de beurre salé ramolli et 100 g de sucre
non raffiné (type muscovado
ou rapadura). Laissez refroidir 30 min
en remuant de temps en temps.
Dans un cul-de-poule, mélangez 250 g
de farine de blé et 1 c. à c. de bicarbonate
de soude. Ajoutez la préparation refroidie.
Travaillez la pâte pour qu'elle soit lisse
et homogène. Enroulez-la dans un torchon
avant de la placer 2 heures au frais.
Puis étalez la pâte et découpez-la à l'aide
d'un emporte-pièce. Laissez cuire au four
les biscuits découpés 10 à 15 min.
Faites fondre 300 g de chocolat noir, puis
tartinez la face supérieure de vos biscuits.
Régalez-vous et faites l'école buissonnière.

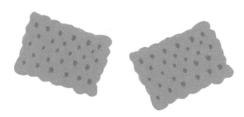

PETITS-BEURRE

Pour retrouver le goût nature des biscuits de votre enfance, suivez la recette du petit écolier et dégustez les biscuits juste à la sortie du four. Ça marche aussi très bien pour réaliser de bons sablés de Noël en y ajoutant 1 à 2 c. à s. d'amandes en poudre. C'est craquant.

RÉPLIQUE DE ROUDOUDOU

Ramassez une dizaine de coquillages sur la plage. Nettoyez-les avant de les faire bouillir 10 min environ avec 1 c. à s. de jus de citron. Essuyez avec un torchon propre. Dans une casserole, versez 60 g de sucre, 2 c. à c. d'eau et le jus de 1 citron. Chauffez, laissez frémir, remuez au besoin afin que le sucre fonde. Patientez 15 min : le mélange s'épaissit. Ajoutez un peu de colorant naturel de votre choix et versez dans les coquillages. Laissez refroidir. Un vrai doudou, non ?

DONNER SA LANGUE AU CHAT

Pour de succulentes langues de chat, mélangez 50 g de beurre mou et 50 g de sucre glace jusqu'à obtention d'une pâte lisse. Montez 1 blanc d'œuf en neige avant de l'incorporer très délicatement au mélange. Ajoutez 60 g de farine en pluie, sans faire retomber le blanc. Armez-vous d'une poche à douille et tracez des lignes courtes sur une plaque de cuisson. Enfournez pour 10 min dans votre four préalablement chauffé à 180 °C. Une fois les bords des biscuits dorés, sortez-les, et ne donnez surtout pas votre langue au chat, mangez-la !

LES MIKADOS, UN JEU D'ENFANT

On se fait une partie de mikados ? Commencez par faire une pâte sablée : mélangez 100 g de sucre muscovado, 200 g de farine de blé, 1 œuf, 75 g de beurre mou et une pincée de bicarbonate de soude. Travaillez la pâte. Lorsqu'elle est homogène, placez-la au frais quelques heures. Puis étalez-la et découpez-la en bâtonnets façon mikados. Faites cuire au four 5 à 10 min à 180 °C. Faites fondre 200 g de chocolat. Une fois les mikados cuits, trempez-les dedans, laissez durcir. Jouez une partie avec vos marmots avant qu'ils les engloutissent !

SURVIVRE À LA CANICULE

Qui dit canicule dit clim' et bouteilles en plastique à gogo ! Minute, papillon, lutter contre les pics de chaleur avec ce qui aggrave le réchauffement climatique, c'est pas un peu cynique ? Retour aux basiques pour contrer les vagues de chaleur.

DU VERT PARTOUT

Les plantes vertes, non contentes d'absorber la chaleur (et le bruit accessoirement !), dégagent de l'humidité. On prend donc rendez-vous avec la copro *illico presto* pour laisser grimper vigne vierge, lierre et pourquoi pas houblon sur la façade de l'immeuble ou de sa maison. Gardons en tête que 1 arbre équivaut à 5 climatiseurs.

DÉBRANCHE TOUT !

Ordinateur, décodeur, chargeur… les appareils électriques sont de grandes sources de chaleur. Alors on débranche ! Et puis, avouez, à l'heure des longues soirées d'été, tourner les pages d'un bon thriller prend une toute autre saveur…

UN LIT AU FRAIS

Avant de tomber dans les bras de Morphée, suspendez des draps humides dans votre chambre. Économique et poétique, cela permet de rafraîchir l'atmosphère.

LA GLACE
AUX BÂTONNETS ABSENTS

Versez du nectar de fruits dans des pots de yaourt vides. Congelez. Attendez 3 bonnes heures pour y planter en plein cœur une cuillère ou une baguette chinoise. Le mélange est figé après une nuit de sommeil. Passez le pot sous l'eau tiède pour le démouler au besoin et lancez-vous à coups de langue.

CAFÉ GLACÉ

Versez ce qui vous reste de café du petit déjeuner dans un bac à glaçons et mettez au congélo. Le lendemain, remplissez un grand verre à moitié de café et pour le reste de lait. Ajoutez les glaçons de café, puis une pincée de cannelle et un bâton de réglisse, qui jouera le rôle de touillette. Dégustez bien frais !

VENT DE BOHÈME

Exit le climatiseur, on préfère de loin l'éventail à glisser dans son sac à main. Adieu, triceps mous et épaules raplapla ! Notez que cet accessoire 3 en 1 permet également de chasser fâcheuses mouches et autres moustiques importuns…

MENTHE GLACIALE

La menthe a la faculté de rafraîchir l'haleine, mais pas que ! Mâchez 1 feuille de menthe fraîche ou déposez 1 goutte d'huile essentielle de menthe poivrée au creux du bras ou à l'arrière du genou. Vous noterez que la sensation de fraîcheur est quasi instantanée !

TOUTOU FRAIS

Les yogis émérites le savent bien : la pose du « lion rugissant », bouche ouverte et langue sortie comme les toutous, rafraîchit ! Agenouillez-vous, tirez la langue en formant un « u » avec celle-ci et aboyez de plaisir pour cette fraîcheur retrouvée.

PETONS PILÉS

Sur le principe du seau à glace, on met ses pieds au frais, en les glissant dans une bassine avec des glaçons et quelques galets. Il n'y a plus qu'à fermer les yeux et à s'imaginer au bord d'une rivière…

121

EMPREINTE CARBONE

LIMITER SON

PRATIQUER L'ÉCOTOURISME

Prenez un bon livre, des lunettes de soleil, un maillot de bain et peut-être aussi un vélo et des chaussures de rando : on vous emmène au pays de l'écotourisme.

LE RETOUR DU TRAIN DE NUIT

Dormir bercé par le rythme des roues sur les rails, aller loin sans prendre l'avion, ça vous tente ? Prenez le train de nuit. Depuis Paris, réveillez-vous le matin entouré par les Alpes, à Briançon, ou bien au milieu de la lagune à Venise. Depuis Hendaye, au Pays basque français, vous filerez vers Lisbonne. Ou peut-être traverserez-vous l'Europe entière, de Nice jusqu'à Moscou ?

PÉDALER

Pour revenir de vos vacances avec des mollets galbés et un bilan écolo impeccable, voyagez à vélo. Il existe 21 véloroutes en France : la Voie bleue qui suit la vallée de la Moselle, le canal des Vosges et la vallée de la Saône, la Vélodyssée qui relie Roscoff à Hendaye, la Vélomaritime qui longe la mer du Nord et la Manche… Vous les trouverez toutes sur francevelotourisme.com.

BIVOUAQUER

Pour être écotouriste, une tente peut suffire. Plantez-la au milieu d'une forêt ou au bord d'un lac de montagne. Repartez le matin, heureux et sans laisser de trace. Le bivouac est autorisé sur tout l'espace public en France… Partout, sauf là où c'est interdit ! Évitez les routes, les rivages maritimes, le périmètre des sites classés et des monuments historiques, un rayon de 200 m autour des points d'eau captée pour la consommation. Et dans les parcs nationaux ou régionaux, les règles varient : de l'interdiction pure et simple à l'autorisation sous conditions.

LOUER UN GÎTE PANDA

Les Gîtes Panda n'ont rien de chinois. Ils sont nés d'une alliance entre les parcs régionaux et nationaux de France, l'ONG WWF et la Fédération des gîtes de France. En pleine nature, ils sont construits dans des matériaux sains : on y pratique le compost et la récupération des eaux de pluie. Un vrai bol d'air pur !

DONNER DE SA PERSONNE

Partir et se rendre utile, c'est possible. Avec l'association Cybelle Planète (**cybelle-planete.org**), vous soignerez des loups en Espagne, vous observerez des cétacés dans le golfe de Naples, en Italie, vous restaurerez des mangroves au Bénin, chaque fois en vous joignant à une équipe de professionnels. Et pour donner un coup de main à des agriculteurs bio partout dans le monde, en échange du gîte et du couvert, devenez un Wwoofer (**wwoof.fr**).

DEVENIR MICROAVENTURIER

La microaventure, c'est goûter au frisson de l'inconnu et du sauvage, près de chez soi et sans attendre les grandes vacances. Passer une nuit à la belle étoile en forêt au bout du RER, descendre la Loire en canoë comme un cowboy, explorer toutes les randos possibles en un week-end à portée de train… Vous trouverez plein de tuyaux chez Chilowé (**chilowe.com**) et 2 Jours pour Vivre (**2jourspourvivre.com**), deux experts incontournables de la microaventure.

LA CLEF VERTE

Ce label distingue les auberges de jeunesse, les gîtes et chambres d'hôtes, les hôtels, les campings, mais encore les villages vacances, les restaurants, les meublés et résidences de tourisme engagés dans une gestion environnementale. Pour recevoir la Clef verte, les établissements doivent agir pour maîtriser leur consommation d'eau et d'énergie, trier et réduire leurs déchets, faire des achats responsables.
laclefverte.org

EMPREINTE CARBONE |

LIMITER SON

Faire sa
PEINTURE
NATURELLE

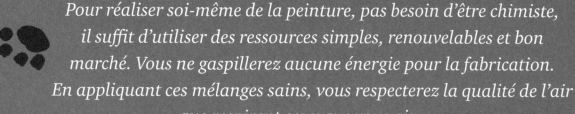

Pour réaliser soi-même de la peinture, pas besoin d'être chimiste, il suffit d'utiliser des ressources simples, renouvelables et bon marché. Vous ne gaspillerez aucune énergie pour la fabrication. En appliquant ces mélanges sains, vous respecterez la qualité de l'air que respirent ceux que vous aimez.

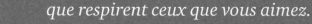

Le mode d'emploi

1. MÉLANGER

Le fromage blanc, le blanc de Meudon
et les pigments.

Les ingrédients

- 200 g de fromage blanc
  (0 % de matière grasse)
- 200 g de blanc de Meudon
- 20 à 40 g de pigments
- 1 c. à c. de chaux aérienne
- 20 à 40 cl d'eau

blanc
de Meudon
↓

pigments →

châux

eau

fromage blanc ←

2. ASSAINIR

Ajoutez 1 c. à c. de chaux diluée
dans un peu d'eau (après avoir vérifié
avec votre fournisseur que votre
pigment est compatible avec la chaux),
si l'environnement est humide
et que vous craignez le développement
de moisissures.

3. DÉLAYER

Versez 20 à 40 cl d'eau en délayant jusqu'à
obtenir une consistance de crème épaisse.

Utilisation

Cette peinture convient aussi bien au bois, au plâtre, aux briques qu'à
la chaux ou aux enduits en terre. Vous la poserez à l'aide d'un pinceau
ou d'un rouleau, en 2 ou 3 couches espacées d'environ 10 heures.
Pour la protéger, appliquez ensuite une cire ou un vernis.

ON ACHÈTE OÙ ?

En circuit court, pardi ! Chez le boucher, en direct du producteur, ou dans les points de distribution de La Ruche qui dit Oui ! par exemple. Ainsi, vous êtes en mesure de connaître la provenance de la viande, et les conditions d'élevage des bêtes. Le must ? Choisir une viande issue d'un élevage extensif qui privilégie la qualité sur le rendement.

CHOISIR SA VIANDE

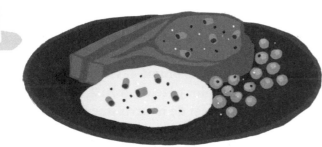

Une consommation excessive de viande est une des raisons du dérèglement climatique. Mais si vous n'êtes pas encore prêt à virer veggie, découvrez comment conjuguer écoresponsabilité et régime carné !

QUELLE QUANTITÉ ?

On recommande de manger 50 g de produits carnés par jour (aujourd'hui, en France, c'est 135 g par personne). Pour info, une tranche de jambon blanc pèse environ 80 g et une bavette 180 g. Il s'agit donc d'une moyenne : gérez votre consommation par semaine (par exemple, en la répartissant sur 3 repas : une tranche de pâté de campagne, une côte de porc et une escalope de veau).

VEAU-RACE

Tout est question de couleur : la viande de veau doit être rose foncé, voire bien rouge. Celle de couleur blanche à laquelle on nous a habitués provient de bêtes anémiées, nourries au lait en poudre délayé, et privées de foin.

EFFET BŒUF

Pour choisir la bonne viande de bœuf, laissez-vous séduire par une chair rouge vif, brillante, qui ne colle pas ni ne rend trop de jus. Si la viande est persillée (c'est meilleur, le gras étant vecteur de goût), faites attention à la graisse, qui doit être bien blanche (ou jaune très clair). Choisissez une viande française (en France, les vaches sont majoritairement élevées en plein air) et de préférence une race « rare », qui change de la charolaise ou de la limousine classiques. Les races à petits effectifs font l'objet de programmes de conservation qui garantissent des conditions d'élevage respectueuses des bêtes.

LE POULET

Pour vos déjeuners dominicaux, choisissez un poulet fermier (mieux que le Label rouge). C'est la garantie de consommer un animal élevé en plein air, abattu à 110 jours au minimum (un poulet standard l'est aux alentours de 35 jours) et nourri avec une alimentation produite sur le lieu de la ferme. Ne vous laissez pas impressionner par sa taille : une fois plumé et vidé, un poulet fermier pèse environ 2,5 kg, ce qui permet de nourrir une famille de 4 personnes pendant au moins 2 repas (sans compter la fabrication d'un bon bouillon de poule pour parfumer pâtes ou riz).

PAS DE COCHONNERIES

Renseignez-vous sur la carte d'identité porcine : préférez les races rustiques (noir de Bigorre, blanc de l'Ouest, kintoa…) dont l'élevage demeure artisanal. Évitez les produits ultra-transformés à base de porc. Et laissez-vous guider par la couleur : en matière de jambon, fuyez le rose, qui témoigne de la présence de nitrites, suspectés d'être cancérigènes ; un jambon authentique est beige, voire gris clair.

VEAU, VACHE, POULET...

La viande de bœuf étant en bas de l'échelle écolo, il faut éviter d'en consommer régulièrement. Préférez-lui les volailles (poulet, dinde, canard), dont l'élevage a moins d'impact sur l'environnement.

LIMITER SON

Votre cousin écolo fête ses 40 ans la semaine prochaine ? Pour honorer ses convictions (et les vôtres), pensez à réviser le look de la soirée : des petits fours aux boissons, en passant par la musique, vous pouvez manger, boire et danser la conscience tranquille. Ça va bouger, bouger.

FESTOYER ÉCOLO

BANDE-SON SOLAIRE

Branchez-vous sur Radio 3S (radio3s.org), qui diffuse 24 heures sur 24 une musique 100 % solaire. Son site est chez un hébergeur suisse, Horus, qui s'alimente avec du photovoltaïque. Et Radio 3S est la création de Solar Sound System, collectif qui organise des fêtes qui carburent aux énergies renouvelables. Les platines y sont alimentées par des panneaux solaires et le public pédalant sur des vélos de génératrices. Guettez leurs prochaines fêtes ici : facebook.com/paris.solarsoundsystem

FINGER FOOD

Pour un buffet sans corvée de vaisselle à la clé, ni déchets d'assiettes en carton et couverts en plastique, misez tout sur la finger food maison. Bâtonnets de légumes à tremper dans du houmous, cakes salés, rouleaux de printemps, samosas et autres tartes ou canapés ont tout bon.

BUVEZ NATURE !

Dites adieu aux bouteilles de bière 33 cl. Désormais, il faudra miser sur les grands formats et mieux choisir vos boissons. Quitte à boire moins, autant boire mieux. D'un côté, les bières artisanales seront de mise, de l'autre, les vins naturels pourront conquérir les plus fins palais. Plus extrêmes encore que les vins bio ou biodynamiques, ils ne contiennent aucun sulfite, leurs vendanges sont manuelles, et même qu'on fait un bisou sur chaque grain de raisin, c'est dire. Trinquez, mais toujours avec modération !

BARBECUE *VÉGÉTARIEN*

Barbecue n'est pas synonyme de viande, il y a mille façons de le végétaliser. Composez des brochettes de légumes, de fruits, de tofu mariné. Faites griller des épis de maïs en les dépouillant de leurs feuilles ou pas (ils garderont dans ce cas plus d'humidité). Certains légumes sont sublimes grillés entiers, la peau croustillante et le cœur tendre : aubergines, patates douces, poivrons, courgettes… Pour épater vos invités, cuisez un rouleau de pâte à pain torsadé autour d'un bâton humidifié (pour éviter qu'il brûle). Et pour le dessert ? Des tranches d'ananas caramélisé sur le gril, une banane cuite dans sa peau (piquée ici et là au couteau).

VAISSELLE D'OCCASION

Besoin de vaisselle en quantité pour un festin géant ? Cela peut valoir le coup d'écumer les vide-greniers et les boutiques Emmaüs pour se constituer un kit fiesta de vaisselle dépareillée à prix mini. Après la fête, vous pourrez la mettre à disposition de vos amis pour les prochaines.

TROCS ET EMPRUNTS

Pour emprunter un appareil à raclette, un gaufrier ou un barbecue à ses voisins, il suffit bien sûr d'aller frapper à leur porte, en les invitant au passage à la fête. Mais on peut aussi se tourner vers Internet, où la solidarité s'organise efficacement. Sur les sites suivants, vous troquerez des objets ou des services : **tipimi.fr** (à Lille), **allovoisins.com**, **mytroc.fr**, **fr.smiile.com**.

CONFETTIS MAISON

Recycler des papiers bons pour la poubelle en confettis, ça détend autant que la méditation. Munissez-vous de vieux journaux, prospectus, factures (avec ces dernières, ça détend doublement). Découpez des bandelettes de 0,5 à 1 cm de large dans plusieurs feuilles de papier superposées, sans aller au bout des feuilles, afin que les bandelettes ne s'éparpillent pas. Donnez des coups de ciseaux perpendiculaires aux bandelettes pour obtenir des confettis carrés.

LESSIVE AU NATUREL

Renoncer aux lessives industrielles pour faire ses propres préparations, c'est pas sorcier ! Pour un linge qui sent trop bon, il y a plein de recettes magiques.

LESSIVE AU LIERRE

Cueillez et rincez à l'eau claire une cinquantaine de feuilles de lierre fraîches (et surtout pas les baies, toxiques). Froissez-les afin qu'elles libèrent plus facilement la saponine contenue. Plongez-les dans 1 litre d'eau. Laissez bouillir 15 min environ, à couvert. Faites macérer une nuit, sans ôter le couvercle. Filtrez à l'aide d'une étamine en pressant les feuilles et utilisez l'équivalent de 1 bouchon par lessive. La recette se conserve 1 mois et fait des miracles !

LESSIVE AU SAVON DE MARSEILLE

Versez 100 g de copeaux de savon de Marseille dans une grande casserole. Ajoutez 6 c. à s. de bicarbonate de soude, 6 c. à s. de cristaux de soude et 3 litres d'eau. Faites chauffer jusqu'à dissolution totale des paillettes. Laissez refroidir avant d'ajouter l'huile essentielle de votre choix (10 gouttes pour 1 litre). Embouteillez et secouez bien avant chaque utilisation.

BALLES DE LAVAGE

Si vous ajoutez des balles de lavage au tambour de la machine, le linge sera plus doux et lavé plus efficacement. Ces balles battent le linge comme le faisaient les lavandières. On en trouve dans les boutiques bio, notamment. Sinon, une demi-douzaine de balles de golf ou de balles de tennis usagées feront très bien l'affaire !

ADOUCISSANT

Remplacez l'adoucissant par un mélange d'⅓ de vinaigre blanc, au pouvoir anticalcaire, et ⅔ d'eau. Diluez bien le vinaigre, sans quoi il attaquerait le plastique de votre machine. Versez ½ verre de cette lotion dans le bac dédié à l'adoucissant.

LAVAGE À LA MAIN

Pour le lavage à la main de la laine, la soie ou tout autre textile délicat, le savon de Marseille suffit. Dissolvez 2 c. à s. de paillettes dans une bassine d'eau très chaude. Laissez tiédir avant de faire tremper votre linge. Frottez le moins possible pour ne pas l'abîmer et rincez délicatement.

COUP D'ÉCLAT

Pour redonner un coup d'éclat au linge blanc, ajoutez 1 c. à s. de percarbonate de soude directement dans le bac à linge et faites tourner la machine à 40 °C au minimum (c'est la température à partir de laquelle le percarbonate de soude agit).

LESSIVE À LA CENDRE

Mélangez 2 verres de cendre dans 1 litre d'eau. Laissez tremper pendant 24 à 48 heures, le temps nécessaire à l'extraction de la potasse, tensioactif naturel qui nettoie le linge. Remuez 4 fois pendant cette période. Le liquide obtenu doit être un peu doré et savonneux au toucher. Filtrez avec un torchon ou une étamine. Utilisez 2 verres de ce liquide par lessive. Promis, ça ne sentira pas le feu de bois !

FAVORISER LA BIODIVERSITÉ

Que vous soyez le jardinier du château
de Versailles ou l'heureux propriétaire
d'un balcon de 1 m², vous pouvez agir
pour préserver la biodiversité.

Faites de n'importe quel petit coin
de verdure un paradis pour le vivant :
apprenez à pailler, à créer des haies
gourmandes ou même à ne plus jamais
désherber.

Pour avoir la main verte, il suffit d'un peu
de bon sens, et de super conseils.

Ça tombe bien, vous n'avez qu'à tourner
la page pour en trouver (des conseils).
On sème ?

JARDINER SANS JARDIN

Vous habitez en appartement et n'avez à votre disposition qu'un petit balcon en guise d'extérieur ? Ne renoncez pas pour autant à vos envies de nature.

TERRE EN VUE

Choisissez des grands bacs qui pourront accueillir votre terreau. Quelques trous et des cailloux au fond pour drainer l'eau, et voilà un hors-sol maison ! Les plus manuels pourront même tenter de fabriquer leur propre bac en recyclant de vieilles palettes en bois.

ARBRE EN POT

L'affaire est simple : croquez une pêche, visez, lancez le noyau dans un grand pot d'au moins 25 cm de diamètre et 20 cm de profondeur rempli de terreau. Placez-le au soleil (bon, enterrez le noyau comme il se doit tout de même). Patientez 4 ans (vous pouvez faire autre chose pendant ce temps), puis reposez-vous de tant d'attente à l'ombre de votre pêcher.

COURSE EN SERRE

Un coup de froid et la culture de balcon s'enrhume ? Fabriquez-lui un *home sweet home* sur mesure : une serre. Recyclez une vieille cagette (ou une jeune, à votre guise) et recouvrez-la de papier bulle avec une petite aération pour éviter les moisissures : à vos marques, prêt, cultivez !

SEMIS EN COQUE

Pas de cultures sans casser des œufs ! Régalez-vous de marbrés ou de cakes, puis gardez les coquilles dans leur boîte et percez leur fond d'un petit trou. Remplissez chacune d'elles de terreau et plantez-y 3 à 4 jeunes graines. Recouvrez et tassez doucement. Placez derrière une fenêtre plein sud et pulvérisez d'eau chaque jour jusqu'à la naissance. La plante ou la poule, qui sera la première ?

BELLE PLANTE

Oh, quelle belle plante ! boostée aux hormones ? en plastique ? Non, magnifiée par les vers. Récupérez le terreau qu'offre votre lombricomposteur (voir p. 24) pour enrichir la terre contenue dans les pots de la maison. Puis inscrivez vos belles au concours de beauté de la région.

CONTE DE POIREAU

Il n'y a pas que les haricots qui sont magiques. La barbiche trempée dans l'eau, les poireaux peuvent repousser à l'infini. Coupez les parties vertes du poireau, plongez le blanc et les racines dans l'eau. Attendez. Votre poireau se met à repousser !

REPRODUCTION VÉGÉTALE

Partez en balade, cueillez les plantes que vous aimez. Rentrez chez vous et mettez votre butin dans des verres d'eau individuels. Quand les tiges font des racines, mettez en pot.

FAVORISER

9 bonnes idées autour du
POIS CHICHE

*Bon marché, saine et protéinée,
cette légumineuse a tout pour plaire.
Oubliez les tempêtes intestinales
et vivez à pois, chiches ?*

2 POIPOIHUÈTES

Et si, pour changer des cacahuètes à l'apéritif, on faisait des poipoihuètes grillées ? Fouettez légèrement à la fourchette 1 blanc d'œuf ou de l'aquafaba. Versez-y une poignée de pois chiches. Enrobez-les puis roulez-les dans un mélange de chapelure, d'herbes ou d'épices. Déposez-les sur un tapis de cuisson, puis faites cuire pendant 15 à 20 min dans un four préchauffé à 180 °C. Picorez aussitôt.

1 BLANC DE POIS CHICHE

Saviez-vous que l'eau de cuisson des pois chiches pouvait se transformer en une meringue bluffante ? 3 c. à s. de cette eau baptisée « aquafaba » équivalent à 1 œuf. Si la texture semble trop fluide, faites-la réduire à feu doux, sans la faire bouillir et sans couvercle pour faciliter l'évaporation, pendant 5 min environ. Ça marche aussi avec le jus des pois chiches en conserve. À conserver au frigo 1 semaine ou dans un bac à glaçons au congélateur.

3 MOUSSE AQUAFABULEUSE

Faites fondre 150 g de chocolat noir au bain-marie. Laissez tiédir. Montez en neige 15 cl d'aquafaba. Fouet électrique bienvenu (il faut un minimum de 5 min pour que ça monte en neige). L'astuce réussite : quelques gouttes de jus de citron ou de vinaigre. Incorporez la mousse petit à petit et délicatement dans le chocolat. Répartissez dans des ramequins. Placez 15 min au congélateur pour saisir la mousse, puis 2 heures au frais.

4 POIS LOURDS

Astuce antigonflette pour une cuisson de pâte sans garniture : sacrifiez quelques pois chiches pour tapisser votre fond de tarte. À la fin de la cuisson, retirez-les et conservez-les dans une boîte à part pour les réutiliser.

5 COOKIE SANS BEURRE

ET SANS REPROCHE

Cuisez 200 g de pois chiches et mixez avec 100 g de purée de cacahuètes, 50 g de sucre, une pincée de sel et ½ c. à c. de bicarbonate de soude. Étalez le tout dans un plat à tarte avec des copeaux de chocolat et enfournez à 180 °C pour 25 à 30 min, ou mangez cru !

6 GERMINATION STYLÉE

Pendant que vos pois chiches trempent 24 heures dans l'eau pour initialiser leur germination, créez une petite déco éphémère ! Remplissez des verres aux deux tiers de pois chiches et d'un peu d'eau. Piquez-y des fleurs glanées. Rincez soigneusement vos pois chiches avant de les placer ensuite dans un germoir.

7 BAR À PLANTES

Récupérez l'eau de cuisson de vos pois chiches (riche en minéraux) pour arroser vos plantes… qui vous commanderont sans nul doute une deuxième tournée !

8 NOURRIR SA MIE

Dans votre prochain pâton de pâte à pain (voir p. 88), ajoutez de la purée de pois chiches cuits (moitié moins que votre proportion de farine). On est loin du goût sudiste de la socca : ici, le pois chiche, ce cœur tendre, apporte surtout du moelleux à la miche.

9 GÂTEAU DE FONDS DE TIROIRS

Plus de beurre, ni de farine, d'huile ou de sucre. Il serait temps d'aller faire les courses… ou de lancer un dernier plat dans le four. 400 g de pois chiches cuits, 1 plaque de chocolat fondu, des œufs (entre 2 et 4) et un peu de sel : le mélange passera non pas un sale quart d'heure au four, mais 40 douces minutes à 180 °C.

CULTIVER TOUTE L'ANNÉE

La plupart des potagers contiennent des tomates, du basilic et des courgettes. C'est déjà pas mal, mais on peut aussi cultiver tout un tas d'autres choses.

PRINTEMPS

FÈVES

C'est un bonheur de les voir grandir et fleurir au printemps, à une époque où tant de potagers sont vides ! Les fèves sont délicieuses « à la croque-au-sel », tandis que leurs cosses se mangent en velouté ou même en remplacement de l'avocat en guacamole. Dans les régions où l'hiver n'est pas trop froid, on peut semer les fèves à l'automne pour les récolter au tout début du printemps. Sinon, semez-les en mars et patientez pendant 3 mois environ.

RADIS ROSE

Il existe des variétés de radis adaptées à tous les terroirs et surtout à toutes les saisons. Au début du printemps, ils trouveront facilement une place dans les espaces encore libres du potager. Environ 1 mois plus tard – à condition de les garder dans une terre bien humide –, vous n'aurez plus qu'à les déguster. Avec du pain et du beurre, bien sûr !

ÉTÉ

FLEURS COMESTIBLES

Place aux alliées de toutes les cultures ! Pensez à la bourrache, aux capucines, aux soucis ou aux pensées : elles égaieront votre jardin et vos assiettes, en plus de protéger vos plantations des petits insectes.

CONCOMBRE

Avec ses vrilles, le concombre s'accroche partout et donne de la hauteur aux potagers. Il se sème de la mi-février à la fin avril. Sa culture est plutôt simple et les rendements souvent élevés. Il existe en prime des variétés peu connues et très goûteuses, comme le concombre noa ou le concombre arménien.

AUTOMNE

CHOU PE-TSAÏ

Quand vient la fin de l'été, le soleil est plus pâle et c'est pas plus mal : on peut enfin manger du chou pe-tsaï. On le sème de début juillet jusqu'à fin août. Il est aussi bon que facile à cuisiner : on le mange cru, en salade, avec une vinaigrette osée (à base de sauce soja ou de pesto) ou tout juste sauté au wok.

CHOU PAK CHOÏ

Il ressemble aux côtes de bettes et se cuisine à peu près de la même façon. On le sème à l'été pour une récolte tout au long de l'automne. On peut même le semer plus tardivement pour récolter ses jeunes feuilles à ajouter dans un mesclun.

HIVER

BLETTES

C'est le légume le plus prolifique de l'hiver, au moins dans les régions où il ne neige ni ne gèle trop souvent. Semez-le de mai à juillet. Les blettes vont d'abord grandir doucement, puis, au bout de 2 mois, elles produiront de nombreuses feuilles de 30 à 50 cm. Cueillez-les avec parcimonie : elles continueront à repousser et leur présence fera bénéficier votre potager d'un joli couvre-sol coloré. Pendant les grands froids, couvrez-les avec un paillis de feuilles mortes : elles repartiront d'autant mieux ensuite.

RADIS NOIR

Il est frais mais piquant, il est fort en bouche tout en libérant quelques subtiles notes de noisettes… Le radis noir est décidément un légume très atypique. On le sème de juillet à septembre, pour une récolte 3 à 4 mois plus tard.

POUR NE PAS FINIR MITÉ

Que la personne qui n'a jamais eu de mites alimentaires dans sa cuisine lève la main. Ne rongez pas votre frein pour autant et remettez-vous aux fourneaux.

QUI SONT LES MITES ?

Mites alimentaires ou mites textiles, même combat ! Ce qui les différencie, au-delà des détails physiques (petite et dorée pour la mite textile, plus grande et argentée pour l'alimentaire) : leur régime alimentaire. Au menu pour la mite textile, de la kératine, présente dans les poils de certains animaux, dont le mouton ; pour la mite alimentaire, vous connaissez le refrain : farine, céréales, fruits secs... En revanche, pas de distinction de traitement pour s'en débarrasser. Elles subiront le même sort ingrat.

OPÉRATION SÉDUCTION

Même si vous aimez les animaux, la chasse est ouverte ! Retenez que vous pouvez acheter des pièges à mites. Ils se trouvent en magasin bio (ou en grande surface) et sont à disperser dans vos placards. Cage pliante, collet, piège à mâchoire ? Rien de tout ça, les pièges à bébêtes sont des bandes gluantes imbibées de phéromones de synthèse qui attirent les mâles.

FERMÉ À DOUBLE TOUR

Le paquet de farine qu'on laisse la gueule ouverte, c'est terminé. Mettez vos provisions dans des bocaux en verre bien fermés, pour ne plus hurler d'effroi face à vos envahisseurs.

MÉNAGE DE PRINTEMPS

Déjà, commencez par un grand ménage : lavez tous les bocaux et placards au vinaigre blanc, puis garnissez avec de la lavande, des morceaux de savon de Marseille, des morceaux de bois de cèdre ou des cotons imbibés d'huile essentielle de laurier noble, de clou de girofle et de menthe poivrée.

VADE RETRO SATANA

Comme Dracula, les mites détestent deux choses : la lumière du jour et l'air frais (bon, l'histoire ne nous dit pas si les vampires sont aussi sensibles aux petits coups de vent). Quoi qu'il en soit, sacrifiez les mites sur l'autel de l'antigaspillage alimentaire en ouvrant régulièrement vos placards pour leur fermer le clapet.

SAUVETAGE DE L'EXTRÊME

Il est trop tard, vos placards sont infestés ? Puisque vous êtes téméraire, placez tout ce petit monde au congélo pour qu'il se rafraîchisse un peu les idées. Une fois les bêtes, les larves et les œufs détruits par le froid, passez les produits au tamis. Tirez les mites à la main plutôt qu'à la carabine, et lancez enfin votre risotto.

DÉCO DE NOËL

Fin décembre, récupérez l'orange que vous trouverez au fond d'une chaussette près de la cheminée. Piquez-la de clous de girofle et posez-la dans un placard pour éloigner les bêtes (les mites toujours, pas les sangliers, hein !). Si vous avez été très sage cette année, vous pourrez en poser une par étagère.

FAVORISER

DES FLEURS *POUR LES POLLINISATEURS*

Les fleurs mellifères sont extrêmement nombreuses. Encouragez en priorité les classiques trèfles ; vous pouvez aussi planter de la lavande, de la moutarde, des phacélies, du lupin, de la bourrache… Pensez aussi au gîte des insectes : des tas de bois, creux de préférence, ou certaines plantes comme la grande camomille, qui sert de refuge aux coccinelles.

POUR CHANGER DU GAZON

Votre jardin a des airs de terrain de foot ou de green de golf ? Apportez un peu de vie et de diversité, et transformez-le en jardin d'Éden.

TAPIS, TAPIS VERT

De nombreuses plantes peuvent former un tapis vert presque aussi ras qu'une pelouse. On pense notamment au thym ou à la camomille. Il faut simplement s'abstenir de marcher dessus, ou alors très rarement. Non, y installer la cage de foot de votre petite dernière n'est pas une bonne idée non plus.

UNE PRAIRIE LOCALE

Et si vous semiez dans un ou plusieurs coins de votre pelouse des plantes de prairies locales ? Pour les choisir, adressez-vous aux conservatoires botaniques, aux centres régionaux de ressources génétiques et aux pépiniéristes, en priorité ceux qui arborent le logo « Flore locale ».

UN ESPACE *RÉENSAUVAGÉ*

Quelle est la chose la plus difficile à faire pour un jardinier ? Rien. Le non-agir est bien souvent une gageure. Essayez de laisser une ou plusieurs zones de votre jardin totalement libres, sans vous y rendre. Observez : les surprises ne devraient pas tarder à arriver.

UN CARRÉ POTAGER

À l'automne, délimitez une zone que vous couvrirez, au choix, de cartons et/ou de feuilles mortes et/ou de matières organiques broyées. Au printemps suivant, ce paillage sera en bonne partie décomposé, et votre terre, meuble, sera débarrassée des plantes spontanées. Semez et plantez comme vous voulez !

UNE MARE

Une mare demande pas mal de réflexion, de main-d'œuvre et même de précautions en termes de sécurité. Mais elle crée une atmosphère paisible, attire une foultitude d'êtres vivants et permet de chauffer une serre ou un bâtiment placé dans l'axe de la réflexion des rayons du soleil.

UNE COLLINE

Les petits tas de terre ou autres collines de pierres et de cailloux deviennent de micro-écosystèmes de quelques mètres carrés à peine. Vous pouvez les concevoir en fonction de leur capacité à accueillir plantes, insectes et oiseaux.

UN COIN EXOTIQUE

Si l'exotisme botanique peut favoriser l'apparition de plantes invasives, il reste cependant très intéressant ! Pour donner à votre jardin des allures de bout du monde, pensez aux jolies fleurs de verveine du Pérou ou aux échinacées, aux hautes tiges du miscanthus ou à l'étonnante monarde, à la fois belle et condimentaire.

DES BULLES DE BULBES

À l'automne, délimitez des cercles de 1 m de diamètre un peu partout sur votre pelouse. Plantez ici des bulbes de narcisses, là des bulbes de crocus. Un peu plus loin des perce-neige, et encore ailleurs des anémones ou bien des tulipes. Au printemps suivant, votre ancienne pelouse monochrome sera parsemée de touches de couleur, dignes des impressionnistes.

COHABITER AVEC LES BESTIOLES

Quel est le point commun entre une limace, une corneille et un campagnol ? Ils ont les mêmes goûts que nous en matière de fruits et de légumes. Et si on changeait de regard sur ces êtres vivants ?

CULTIVER LES PLANTES POISONS

Le ricin est une jolie plante aux airs exotiques qui donne des fleurs en forme de pompons rouges. Méfiez-vous d'elle : elle produit aussi un poison appelé ricine, mortel pour les rongeurs. Alors, oui, on avait dit qu'on arrêtait de tuer les non-humains. Mais n'ayez crainte, il n'y aura pas d'hécatombe. La plupart des rongeurs étant très sociaux et solidaires, ils sauront déserter les lieux – et donc vos pommes de terre – dès que l'un d'entre eux aura goûté à cette plante dangereuse.

ÉLEVER DES ANIMAUX

Si les prédateurs de ravageurs n'arrivent pas assez vite à votre goût, proposez-vous de leur fournir le gîte dans votre parcelle. Vous pouvez bâtir des hôtels à insectes ou, mieux, disposer des fagots, des branches de bois creux ou encore des pierres et des pots retournés dans votre jardin. Pensez aussi à l'élevage : les canards coureurs indiens aiment les limaces, tandis que certaines poules peuvent parfois manger les gastéropodes et les chenilles, et même parfois s'attaquer aux frelons.

DÉTOURNER L'ATTENTION

Des guêpes qui rôdent autour d'un rôti peuvent gâcher un déjeuner dominical. Pour l'éviter, il suffit d'anticiper. Placez un vieux fruit ou des morceaux de viande à l'autre bout du jardin, une heure avant de passer à table. Les guêpes vont s'en régaler et vous laisseront déjeuner en paix !

AVOIR CONFIANCE EN L'AVENIR

Quand une armée de gastéropodes débarque, on a envie d'en zigouiller une bonne partie pour s'en débarrasser. Au contraire, avec le calme et la patience d'un maître zen, félicitez-vous de leur grand nombre : les limaces devraient bientôt attirer… les mangeurs de limaces (les hérissons ou des insectes comme les carabes). Dès leur arrivée, la population de limaces sera régulée. De même, une invasion de pucerons attirera des coccinelles et autres syrphes.

TERRE EN VUE

On sème 10 salades avec espoir. On les arrose avec amour. On les plante avec émerveillement. Et paf, des limaces les dévorent avec avidité. Ce scénario, trop bien connu, peut être évité avec une solution simple : semez 20, voire 30 salades. Les limaces en mangeront peut-être la moitié, mais il restera tout de même de quoi vous régaler.

FAVORISER

Vous aimez le fromage, celui qui a du caractère, qui fouette un peu ? Vous en avez marre des meules insipides ? Pour ne plus vous casser les dents sur des tommes dures, découvrez nos fins conseils pour choisir un bon frometon.

BIEN CHOISIR SES FROMAGES

LE BON FOURNISSEUR

En circuit court, en vente directe et chez le fromager. Pour reconnaître un bon fromage, vérifiez l'étiquette. Cette dernière doit mentionner le taux de matières grasses, préciser si c'est un fromage de chèvre, de vache ou de brebis, si le lait est cru ou pasteurisé, et si appellation ou label il y a, elle doit le spécifier. Enfin, testez, goûtez, comparez les différentes fromageries de votre quartier et faites votre choix !

LE CALENDRIER DES FROMAGES

Au printemps, privilégiez les fromages à affinage court comme le camembert, le livarot et le saint-nectaire. En été, c'est un peu la même chose, mais on ajoute tous les fromages d'alpage qui ont été fabriqués avec les laits de l'année précédente, et les fromages frais. En automne, on trouve des fromages avec plus de caractère, comme les croûtes lavées, les tommes de brebis type ossau-iraty ou les bleus. L'hiver, les animaux passent au foin : le lait est un peu moins riche, mais on retrouve les fromages saisonniers comme le mont d'Or.

L'AFFINAGE

L'âge est un indicateur, mais il ne fait pas tout. Un comté affiné 12 mois, mais préparé sur un lait d'été, peut avoir plus d'intérêt qu'un comté de 18 mois sur un lait d'hiver. Car, en été, les vaches mangent de l'herbe fraîche et le lait a plus de goût. En revanche, la durée d'affinage est un bon indicateur pour la texture. Plus un fromage est jeune, plus il sera rond et fondant. Et en vieillissant, il aura tendance à se renforcer en puissance.

LES FROMAGES AU LAIT CRU

Mieux vaut privilégier les fromages au lait cru, ce dernier conservant toutes les bactéries, la flore et les micro-organismes, donc le goût. Concrètement, le lait cru ne subit pas de traitement thermique et est utilisé au plus tard 48 heures après la traite.

LA CONSERVATION

Laissez-les dans le papier sulfurisé du fromager pour maintenir un certain niveau d'humidité et éviter qu'ils se dessèchent. Ne vous amusez surtout pas à les stocker dans une boîte en plastique, sauf si l'odeur est vraiment incommodante. Et oubliez la cloche : certes, ça fait chic, mais bonjour l'effet étuve. Pensez à sortir vos fromages à température ambiante au moins 2 heures avant la dégustation.

C'EST QUOI
UN FROMAGE FERMIER ?

Un fromage est fermier quand il a été produit sur le lieu de l'exploitation et avec le lait de la ferme. L'emploi de ce terme est encadré. À l'inverse, un fromage « laitier » signifie que le lait utilisé est issu de plusieurs exploitations.

FAVORISER

PLANTES D'OMBRE

On pense souvent qu'il est impossible de faire croître des végétaux dans les espaces peu lumineux. Mais c'est oublier une quantité de plantes qui méritent toute notre attention et notre intérêt.

LE LIERRE

Non seulement il pousse partout, y compris à l'ombre, mais en prime il a de très nombreuses qualités. Esthétiques pour les êtres humains, son pollen et son nectar sont très nourrissants pour de nombreux insectes – notamment les pollinisateurs – et son feuillage sert de refuge aux oiseaux et aux chauves-souris. En prime, contrairement à une croyance tenace, il n'abîme ni les arbres ni les murs sur lesquels il s'installe.

LES FOUGÈRES

En Grande-Bretagne, à l'époque victorienne, ces plantes d'ombre étaient plus appréciées et observées que les plantes à fleurs. Le déploiement de leurs feuilles au printemps et les nuances de vert de leurs tiges valent en effet le coup d'œil. Au Canada, au Japon et en Corée, on consomme les jeunes pousses de la fougère osmonde (*Osmunda japonica*) et de la fougère autruche (*Matteuccia struthiopteris*). Attention toutefois, certaines fougères sont très toxiques.

LA RÉGLISSE

Voilà une plante originale et comestible à qui le manque d'ensoleillement sied. Ses fleurs sont très jolies, tandis que ses racines se mâchonnent avec plaisir, surtout quand on essaie d'arrêter la cigarette. Il faudra toutefois un peu de patience : 3 à 5 ans sont souvent nécessaires pour qu'elle s'installe pour de bon.

LES HOSTAS

Ces plantes ont dans leurs feuilles la lumière qu'elles n'ont pas au-dessus de la tête. Plantes vivaces d'ombre et de sous-bois, elles ont un feuillage aux couleurs vives et panachées. Certaines jeunes pousses sont consommées au Japon, notamment la variété *Hosta montana*. Attention, limaces et escargots sont leurs ennemis : ils raffolent de leurs feuilles.

LE CYCLAMEN À FEUILLES DE LIERRE

La floraison de cette plante de sous-bois se déroule en fin d'été et en début d'automne. Elle tolère les grands froids hivernaux et ne demande aucune attention, même pas de l'arrosage. Elle peut être cultivée en pot. Bref, elle est sympa et peu compliquée.

LES MOUSSES

Au Japon, nombre de jardiniers cultivent et apprécient la beauté des mousses, qui aiment l'excès d'ombre et/ou d'eau. Vous pouvez favoriser leur venue en récoltant la mousse des trottoirs et des murs. Observez-les à la loupe ou au microscope, c'est superbe !

LE MUGUET

Le muguet aime l'ombre et l'humidité. Il tolère les pots, à condition de ne pas oublier de l'arroser. Sa floraison est courte mais pleine de joie : elle annonce les beaux jours.

LA PETITE PERVENCHE

C'est un parfait couvre sol, avec son feuillage persistant et ses jolies fleurs violettes. Elle sera à l'aise au pied d'un arbre, dans un coin ombragé ou même dans un pot de fleurs.

LA DIGITALE

Elle préfère la mi-ombre, mais peut accepter très peu d'ensoleillement. Cette plante a l'intérêt de faire de jolies fleurs qui se dressent à plusieurs dizaines de centimètres de hauteur, voire un mètre. Elle ne demande aucun soin et se ressème toute seule. Indépendante, la digitale !

L'ASPÉRULE ODORANTE

Elle forme de beaux parterres dans les recoins à l'ombre, ses fleurs sentent bon et plaisent aux pollinisateurs. En prime, elle n'est jamais malade ni embêtée par des champignons ou des insectes. À part son nom, cette plante a tout pour elle.

Faire son KÉFIR

On raconte que les peuples du Caucase pouvaient vivre jusqu'à
110 ans sans être malades. Leur secret ? Une boisson qui regorge
de bonnes bactéries, de vitamines et de protéines : le kéfir.
Et si, même avec ça, vous ne soufflez pas vos bougies de centenaire,
vous ne pourrez pas nous le reprocher…

La recette

eau · sucre · kéfir · 1 figue sèche · citron

Les ingrédients

- 3 c. à s. de sucre non raffiné
- 1 litre d'eau minérale
- 2 grosses c. à s. de grains de kéfir
- 1 figue sèche bio
- Le jus de ½ citron jaune bio

1. MÉLANGER

Mettez tous les ingrédients dans un grand bocal en verre. Pressez le citron plutôt que de l'utiliser entier avec sa peau si vous voulez éviter l'amertume.

2. PATIENTER

Fermez le bocal, mais pas de façon hermétique. L'air doit pouvoir passer pour éviter que le récipient soit sous pression. Laissez-le à température ambiante en le préservant de la lumière directe du soleil. Au bout de 24 heures, la figue remonte : le kéfir est prêt.

3. FILTRER

Utilisez une passoire en plastique, mettez en bouteille puis réservez au frais durant au maximum 3 jours.

4. CONSERVER

Rincez les grains de kéfir. Gardez-les au frais avec de l'eau et du sucre pour les endormir ou remettez-les directement en production en relançant une tournée.

Une vie de kéfir

Le kéfir est une boisson vivante qui contient les germes de sa descendance. Il est donc possible d'en refaire indéfiniment ! La tradition veut que les grains de kéfir se transmettent de personne en personne. Un ami ou un voisin pourra peut-être vous en donner. Il existe même des forums ou des groupes Facebook pour s'en procurer. Sinon, on en trouve dans la plupart des boutiques bio.

LA BIODIVERSITÉ

FAVORISER

Parabènes, phtalates, bisphénol A, composés perfluorés… ces perturbateurs endocriniens sont partout. On leur reproche, même à faible dose, d'interférer avec notre système hormonal, avec des conséquences sur la croissance, la reproduction ou le système nerveux. Impossible de les bannir à 100 %, mais limiter leur exposition, c'est possible.

ÉVITER LES PERTURBATEURS ENDOCRINIENS

HARO SUR LE PLASTIQUE

Pour la cuisine, comme pour les jouets, évitez autant que possible le plastique. En particulier ceux estampillés de ces trois numéros (figurant à l'intérieur d'un triangle) :

• le 1 (PET, susceptible de libérer des retardateurs de flamme bromés),

• le 3 (PVC qui contient des phtalates),

• le 7 (qui contient du bisphénol A, aujourd'hui interdit à la vente mais qui peut encore traîner dans les placards).

CHOISIR LE BIO

Les pesticides, même autorisés, sont des perturbateurs endocriniens. La meilleure façon d'éviter de les ingurgiter – comme de les répandre dans notre environnement –, c'est de consommer bio. À défaut, n'oubliez pas d'éplucher fruits et légumes car c'est dans la peau que se concentrent les résidus.

SOBRIÉTÉ COSMÉTIQUE

De l'eau et du savon bio pour nettoyer la peau, une huile végétale pour la nourrir. Le retour à la simplicité, c'est le meilleur moyen d'éviter les perturbateurs. Vous pouvez aussi privilégier les labels bio et éviter les teintures chimiques et les laques pour cheveux.

NE PAS CHAUFFER

En chauffant, les perturbateurs migrent vers les aliments. Alors, mieux vaut arrêter d'enfourner boîtes ou emballages en plastique au micro-ondes pour réchauffer des plats. Du balai aussi la bouilloire électrique en plastique.

AÉRER *PLUTÔT QUE PARFUMER*

Bougies parfumées, encens, vaporisateurs sont susceptibles de charger votre air intérieur de substances nuisibles. Pour chasser les odeurs indésirables et renouveler l'atmosphère, aérez autant que possible.

DU BRUT DANS MA MAISON

Le vinyle, le PVC, la colle contenue dans le contreplaqué, les textiles ou moquettes ayant subi un traitement antitaches : ces matériaux dégagent eux aussi des composés, polluant l'air des maisons. On leur préfère le bois brut et les tissus non traités (en coton, lin, chanvre…).

ADIEU CONSERVES ET CANETTES

Certes, conserves et canettes sont en aluminium, qui n'est pas un perturbateur endocrinien. Mais leur intérieur est tapissé de plastique, qui, lui, en est rempli.

BYE BYE TÉFLON

Pour synthétiser du Téflon, on utilisait jusque récemment du PFOA (acide perfluorooctanoïque), un cancérogène et perturbateur. Ce dernier est interdit depuis juillet 2020, mais l'innocuité de son remplaçant, le GenX, n'est pas encore prouvée. Dans le doute, dites au revoir au Téflon et bonjour à l'inox, à la fonte, à l'acier…

MÉNAGE À L'ANCIENNE

Pour briquer votre logis sans polluer l'air intérieur, préférez les produits qui ont fait leurs preuves depuis des siècles. Vinaigre blanc, bicarbonate de soude, savon noir sont dépourvus de substances nocives (voir p. 64 et 183).

DÉCORER *SANS S'EXPOSER*

Depuis 2012, les produits de construction et de décoration (cloisons, revêtements de sol, isolants, peintures, vernis, etc.) sont munis d'une étiquette qui indique le niveau des « émissions dans l'air intérieur ». Choisissez ceux notés A+.

ATTIRER LES POLLINISATEURS

Bzzzzz… les pollinisateurs sont les compères indispensables des plantes à fleurs. Pour encourager leur venue, on regorge de conseils.

LES VERTUS DES SIMPLES

Certaines plantes très ordinaires sont capables de séduire une grande diversité de pollinisateurs. C'est notamment le cas du lierre, des trèfles blancs ou, dans une moindre mesure, des pissenlits. Pour les accueillir, il suffit de renoncer à les arracher ou à tondre une partie de sa pelouse.

UNE GRANDE FAMILLE

On pense d'abord aux abeilles à miel, mais elles ne sont pas les seules à polliniser, loin de là ! Les abeilles solitaires, les bourdons ou encore les mouches, papillons et autres coccinelles ont tout autant de talents et d'intérêt dans cette tâche.

CHAQUE GESTE COMPTE

Des études montrent qu'il suffit de quelques espaces végétalisés privés à l'échelle d'un quartier pour permettre à de nombreux et divers pollinisateurs de s'installer. À l'heure où les populations d'insectes s'effondrent à l'échelle mondiale, chaque action pour inverser la tendance est efficace.

LES BONNES COULEURS...

Les insectes ne voient pas le monde de la même façon que nous... mais on peut tenter de se mettre à leur place. Ils sont généralement plus attirés par les fleurs violettes, bleues et jaunes, ou encore par les fleurs qui ont une collerette orange comme le myosotis.

... ET LES BONNES ODEURS

Côté odeurs, les plantes comme la lavande, la mélisse, la menthe, la sauge, le thym et le romarin font partie des favorites.

VIVE LA DIVERSITÉ

Plus les espèces de fleurs sont différentes, plus la diversité des insectes augmente. C'est proportionnel ! Les monocultures de jonquilles, c'est très beau, mais il va falloir penser à planter ou à laisser pousser autre chose autour.

NECTAR

Certes, beaucoup de pollinisateurs se nourrissent de nectar. Mais ce n'est pas leur seul mets. Les coccinelles mangent des pucerons, de même que beaucoup de larves de mouches, qui, elles, aiment aussi déguster des acariens – chacun ses goûts ! Réjouissez-vous donc d'en voir sur vos plantes. Laissez également des fruits trop mûrs ou abîmés au sol, ils seront appréciés.

BOIRE UN PETIT COUP...

Les insectes pollinisateurs ont besoin de s'hydrater. Les mares et les fontaines, si possible installées à l'ombre, sont donc précieuses. Vous pouvez également disposer des coupelles d'eau à distance de votre maison et à l'ombre. Placez-y des cailloux, pour éviter les noyades.

DES GÎTES *À CONSTRUIRE*

Remplissez de paille un pot de terre cuite et suspendez-le. Il sera un parfait refuge pour les perce-oreilles. Un peu plus loin, placez des fagots de bois à tiges creuses et/ou à moelle et/ou des bûches percées. Encore ailleurs, posez des planches ou des briques creuses pour attirer tout un monde d'insectes, dont des pollinisateurs.

ENFANTS DES BOIS

De la boue plein les mains et les pieds mouillés ? Les enfants adorent ! Voici de quoi leur permettre d'utiliser plus souvent leurs cinq sens pour se sentir appartenir au monde.

HERBIER PARTAGÉ

Petits parcs ou grandes forêts, quel que soit votre terrain de jeu, profitez de la balade pour observer la nature. C'est l'occasion d'ouvrir une boîte à souvenirs ou de commencer un herbier. Fixez vos règles en famille : on ramasse ce qui est déjà fané ou tombé au sol, pas touche aux plantes protégées ou rares. Pour des conseils de fabrication, direction l'excellent site de l'association **tela-botanica.org**.

LAND ARTISTES

Créer à partir d'éléments naturels des rosaces, des nids, des lignes sinueuses, des tipis miniatures… les enfants adorent, les grands aussi ! Une fois les œuvres réalisées, prenez une photo et laissez le tout sur place. Les promeneurs profiteront du spectacle, et la nature se chargera du nettoyage.

PAUSE GOÛTER

Au fil des saisons, faites découvrir à vos enfants les fruits et les plantes sauvages ou semi-sauvages comestibles. Pensez aux classiques : mûres, châtaignes, fraises des bois ou fleurs de sureau. Et n'oubliez pas les plantes un peu moins connues mais faciles à reconnaître, comme l'ail des ours, la roquette et la mâche sauvages ou la bourrache (voir p. 138).

SEMER À TOUT VENT

Gardez les grosses graines de vos légumes (courges ou petits pois). Et procurez-vous (en jardinerie ou via un troc de plantes) des graines de radis, de capucine, de bourrache et autres pois de senteur. Au printemps, placez de la terre humide dans un pot, faites-y de petits trous ou sillons de deux à trois fois la taille des graines, semez-les et recouvrez-les de terre. Un peu de patience et le miracle de la vie agit !

POU POU PI BOUE

Pas grave si votre petit dernier a les mains pleines de boue. Au contraire même, avancent deux spécialistes du microbiote, Jack Gilbert et Rob Knight. La plupart des organismes présents dans la terre sont essentiels à notre santé, et y être exposé régulièrement est bénéfique pour notre système immunitaire, oui !

CONSTRUIRE SON TOIT

Enfant + nature = cabane. Ce sont d'ailleurs des enfants qui ont monté la chaîne YouTube Libres&Natures pour partager leurs méthodes. Le concours de la plus belle cabane est lancé !

Désherber, c'est la plaie. Pour le jardinier qui a certainement mieux à faire de ses journées. Et pour les êtres vivants qui se régalaient de ces plantes spontanées. Pas de panique, des solutions existent pour éviter cette corvée.

POUR NE PLUS DÉSHERBER

VALORISER

Les purins de prêle, de consoude, de fougère ou encore de lavande sont les plus nobles et les plus connus des jardiniers. Si une plante vous importune, faites-en donc un purin (voir la recette p. 108-109).
Quand il ne fait plus de bulles, au bout de 3 à 4 semaines, diluez-le dans 10 fois son volume d'eau et arrosez votre jardin avec cette potion pleine de vertus.

PAILLER

Pour ne plus avoir à désherber un potager, il suffit de couvrir le sol pendant l'hiver. Déposez des cartons non imprimés à plat sur le sol, recouvrez-les de paille, de foin, de tontes et de feuilles mortes et, au besoin, ajoutez quelques pierres pour tenir le tout. Au printemps suivant, votre terre sera exempte de plantes et pléthore d'insectes et d'organismes auront dévoré cette couverture en nourrissant le sol au passage. Tout sera prêt pour vos plantations !

ANTICIPER

La nature a horreur du vide. Si on remue ou retourne la terre, si on arrache des végétaux à un endroit de son jardin, alors des plantes spontanées auront vite fait de prendre la place libre. Pour l'éviter, plantez partout où c'est possible. L'idéal est de miser sur les plantes à la fois comestibles et capables de couvrir rapidement un sol, comme les fraisiers, les mille espèces de thym, les pimprenelles, la menthe ou même, dans certaines conditions, les framboisiers, topinambours et autres mûres.

BOIRE ET MANGER

Là où l'on voit des mauvaises herbes se trouvent en fait souvent des saveurs méconnues. Lorsqu'on a appris à reconnaître les plantes spontanées, on ne les arrache plus, on les cueille délicatement. Les jeunes feuilles de pissenlit, de menthe, de moutarde sauvage, de roquette sauvage, de bourse à pasteur et d'amarante se dégustent en salade. Les feuilles de pourpier ou d'ortie s'apprécient cuites, en omelette, par exemple. Autre idée : les boutons floraux de pissenlit et de mauve ou encore les fleurs de pâquerette et de marguerite se croquent à l'envi. Enfin, les feuilles de mauve, d'achillée millefeuille ou d'églantier se dégustent en tisane.

PRÉCAUTIONS UTILES

Méfiez-vous des faux amis et abstenez-vous de cueillir en cas de doute. Il faut aussi bien rincer les feuilles récoltées, les tremper dans du vinaigre si possible et les cuire au besoin. Enfin, ne cueillez pas dans les endroits pollués, à proximité d'une route ou là où chiens et chats ont l'habitude de déféquer.

6 bonnes idées autour du
MIEL

*Sucrer, parfumer, adoucir, régénérer : le miel est le roi
de la cour des miracles, et pas seulement en cuisine !
Petit abrégé de ses nombreuses vertus pour vous convaincre
d'avoir toujours un petit pot de miel chez vous.*

POUR LES PETITS BOBOS 1

Après nettoyage à l'eau et séchage de la brûlure ou de la plaie, badigeonnez-la de miel de lavande, de thym ou de châtaignier. Couvrez d'une compresse stérile, maintenue par un sparadrap. Renouvelez l'opération tous les jours jusqu'à cicatrisation.

2 BAIN DE BOUCHE

Diluez 1 c. à c. de miel de mélilot ou de thym et quelques gouttes de jus de citron dans un verre d'eau tiède. Faites un bain de bouche pendant 1 à 2 min avant de recracher l'eau.

3 TISANE
ADOUCISSANTE

2 c. à s. de miel de sapin, de thym ou de citronnier diluées dans une tasse d'eau chaude avec le jus de 1 citron et 2 gouttes d'huile essentielle d'eucalyptus. À boire plusieurs fois par jour.

4 SAVON RELAXANT

Rappez 100 g de pur savon de Marseille, faites-le fondre au bain-marie avec 2 c. à s. de miel de fleur d'oranger, 2 c. à s. d'huile de lin et 6 c. à s. d'eau. Mélangez le tout. Lorsque vous obtenez une pâte homogène, ajoutez, hors du feu, 4 gouttes d'huile essentielle de néroli (fleur d'oranger). Laissez refroidir et durcir. À la douche !

5 GOMMAGE SUCRÉ

Mélangez 2 c. à s. de miel, 1 c. à s. de gros sel gris, 1 c. à s. de bicarbonate de soude, 1 c. à s. de yaourt nature et 1 c. à s. d'huile de lin ou d'olive. Appliquez aussitôt sur le corps humide avec un gant, par massages en petits cercles. Choisissez plutôt un miel de lavande ou de bruyère pour obtenir une texture crémeuse.

MASQUE GOURMAND 6

À l'aide d'une fourchette, réduisez en purée ¼ d'avocat bio, et d'origine européenne si possible, ajoutez 1 c. à s. d'huile de tournesol et 1 c. à s. de jus de citron. Appliquez sur le visage et laissez poser 20 min. Rincez avec une eau florale. Ce masque est idéal pour les peaux sèches ou sensibles.

ASSOCIER SES LÉGUMES AU POTAGER

Le jardinier est un chef d'orchestre. En mettant en avant tel légume, ou en faisant cohabiter telle plante avec telle autre, il fait émerger la douce mélodie du potager productif. Voici quelques conseils pour trouver vos propres harmonies végétales.

LES TROIS SŒURS

Connaissez-vous la culture dite des « trois sœurs » ? Cette technique traditionnelle a été développée dans diverses communautés autochtones d'Amérique du Nord et centrale. Elle consiste à associer 3 plantes dont les besoins et les atouts sont complémentaires, la courge, le maïs et le haricot grimpant : le maïs pousse vite et sa tige forme un tuteur solide qui va servir aux haricots grimpants. Ces derniers ont l'avantage de fixer l'azote de l'air, ce qui bénéficie au maïs et à la courge. Enfin la courge a de très larges feuilles, qui apportent une ombre bienvenue au sol et maintiennent l'humidité dont ont besoin les autres plantes. Magique !

RÉCOLTER *EN DÉCALÉ*

Pour un rang de 1 m de culture, prenez une vingtaine de graines de radis et une dizaine de graines de laitue. Mélangez, puis semez en ligne, chaque graine espacée des autres de 3 cm environ. Au bout de quelques jours, radis et laitues vont germer de façon homogène. Au bout de 3 à 4 semaines, récoltez les radis. Les laitues seront ravies et assez grandes pour prendre la place libre. Cette technique fonctionne aussi en associant les carottes et les radis ou des poireaux et des laitues.

BELLE PLANTE

Dans le monde végétal, la solidarité s'appelle « allélopathie ». Ce terme scientifique désigne le fait que certaines plantes produisent des substances chimiques qui peuvent favoriser la germination, la croissance ou le développement d'autres plantes. Par exemple, l'odeur du céleri-branche déplaît aux prédateurs des choux. Ces alliances végétales ne sont pas une science exacte et dépendent beaucoup des terroirs, des saisons et des pratiques de chaque jardinier. À vous de faire vos expériences !

ACCORD DE METS

On devrait presque toujours planter du basilic entre ses pieds de tomate. Cette plante aromatique apprécie en effet ce contexte ombragé, tandis que l'odeur du basilic pourrait en retour empêcher l'arrivée de certaines maladies et de parasites. Parfait pour une salade tomates-mozza-basilic !

LA BIODIVERSITÉ |

FAVORISER

HALTE AUX MOUSTIQUES

*Pour chasser les moustiques,
exit les produits chimiques
et place aux éléments naturels.*

ORANGE MOUSTIQUAIRE

Une orange ou un citron, des clous
de girofle et vous voilà débarrassé
de ces bêtes qui piquent et qui grattent.
Pour éviter de devenir marteau, plantez
les clous dans l'agrume à mains nues.
Placez-le au milieu de la pièce et éloignez
ainsi la source de vos tracas.

MENTHRA DE SAISON

Menthe au balcon, moustique
à reculons. Si l'adage n'est pas
un alexandrin parfait, il a au moins
le mérite de donner de bonnes
idées. Faites comme il dit, mettez
de la menthe au balcon. Résultat
attendu : les moustiques reculent.
La vie est faite de choses simples !

CITRONNELLE SOULAGEANTE

Une dizaine de gouttes d'huile
essentielle de citronnelle dans
votre diffuseur, et voilà un parfum
de vacances exotique qui flotte
chez vous, sans avion et
sans piqûres de moustiques.

SALADE RÉPULSIVE

La prochaine fois que vous préparerez une salade de tomates, forcez sur le basilic. Sur votre salade, sur le rebord de la fenêtre de votre cuisine, malaxé entre vos mains : les moustiques détestent l'odeur. Piqué malgré tout ? Frottez le vilain bouton avec une belle feuille en pestant.

DOUCHE EUCALYPTÉE

Ajoutez quelques gouttes d'eucalyptus citronné à votre gel douche ou huile pour le corps. Vous sentirez bon au nez de tout le monde, sauf des moustiques (qui n'ont d'ailleurs pas de nez).

VENT DE FRAÎCHEUR

Savez-vous combien pèse un moustique ? Suffisamment peu pour l'envoyer valser. Le ventilateur fera bien l'affaire pour le faire changer de cap et vous laisser souffler pendant votre sieste estivale.

AMOUR SANS PSCHITT

Rendez-vous galant ? Faites l'impasse sur le parfum si vous voulez éviter un tête-à-tête avec les moustiques plutôt qu'avec votre amoureux ou amoureuse.

FÊTE PRIVÉE

Quand vous inviterez vos amis lors d'une chaude soirée d'été, préparez un plat de résistance dédié aux moustiques : une assiette d'eau savonneuse. Une seule suffira sur la tablée pour que l'eau les appâte et les coince grâce aux bulles de savon. Et servez de la vraie nourriture à vos invités, c'est plus sympa.

FAVORISER

INVITER DES ANIMAUX AU JARDIN

Rien de plus agréable que de passer une journée au jardin en compagnie des oiseaux, des libellules et même des araignées. Pour les attirer, offrez-leur le gîte et le couvert !

NICHOIR POUR OISEAUX

Pour les bricoleurs, de nombreux modèles libres de droits permettent de fabriquer son propre nichoir. Si vous êtes allergique au tournevis, tournez-vous vers les associations qui en commercialisent, comme la Ligue pour la protection des oiseaux (LPO). Attention, chaque espèce a sa propre morphologie, donc des besoins spécifiques en termes de taille de nichoir et surtout de trou d'entrée et de sortie. Le bois ne doit être ni traité ni verni, et on ne doit pas le raboter pour éviter de blesser les oiseaux.

À BOIRE ET À BECQUETER

En hiver, on peut donner aux oiseaux des graines (ni grillées ni salées), des fruits et des aliments à base de graisses végétales (comme l'huile de colza). Il est déconseillé de continuer une fois les gelées passées, pour ne pas les accoutumer. Veillez à déposer ces aliments dans un endroit éloigné des prédateurs – en particulier des chats – et à nettoyer régulièrement les mangeoires. Pour l'eau, attention à ne pas utiliser de contenants trop grands pour éviter les noyades.

REFUGE POUR CHAUVES-SOURIS

On pense rarement à elles, mais elles ont aussi leur place dans nos jardins. Vous n'êtes pas convaincu ? Mais si, rappelez-vous qu'elles aiment manger les moustiques ! Attention à bien maintenir ces nichoirs – à acheter ou à construire vous-même – éloignés des prédateurs, comme les chats, les fouines ou autres petits carnassiers.

SOLARIUM POUR ORVETS OU LÉZARDS

En assemblant des pierres et des ardoises, voire des briques de construction, on peut construire un abri où des lézards, des orvets et des serpents (pas de panique, en dehors de la vipère, la plupart ne sont pas dangereux) aimeront se réfugier au chaud.

MARE À GRENOUILLES

Une mare demande beaucoup de travail et des règles nécessaires de sécurité. Mais elle attire un grand nombre d'espèces vivantes : grenouilles, tritons, salamandres ou libellules. Sans oublier les très nombreux oiseaux et mammifères qui aimeront y boire.

HÔTELS À INSECTES

Ils sont jolis mais ont l'inconvénient de concentrer les insectes au même endroit. De quoi permettre à leurs prédateurs de les dévorer tous en même temps... Préférez plusieurs petits hôtels plutôt qu'un grand ou, bien mieux encore, répartissez des fagots, des branches de bois creux ou des pierres et des pots retournés un peu partout dans le jardin (voir p. 155).

HAIE POUR HÉRISSONS

Ils aiment manger les limaces et sont l'incarnation d'un jardin en bonne santé. Pour les accueillir, il leur faudra un abri : une haie dense ou des caisses retournées, accessibles grâce à un trou ou soulevées par une grosse pierre. Pensez aussi à leur laisser de l'eau dans une coupelle pendant les canicules.

LA BIODIVERSITÉ

FAVORISER

S'INITIER À LA DÉCROISSANCE

Bravo, si vous êtes arrivé jusqu'ici,
c'est que vous en avez fait du chemin !

Il est grand temps de mettre à profit tout
ce que vous avez appris et de passer
littéralement à l'étape d'après : décroître.

Le mot vous fait peur ? Mais non,
vous verrez, c'est facile.
Vous apprendrez à survivre en pleine
nature, à économiser l'énergie, à faire pipi
écolo ou à vivre sans frigo (oui, oui).
Et puis il n'y a pas que vous que ça rendra
heureux : notre petite Terre, elle aussi,
a déjà le sourire aux lèvres.

Que c'est bon de décroître !

L'ORTIE

On la connaît pour s'y être frotté, piqué ou même pour y avoir jeté Mémé. Mais elle se cuisine aussi. Cueillez-la avec des gants et ébouillantez-la dare-dare pour qu'elle arrête de piquer. Cuisinez-la en soupe avec quelques pommes de terre et de la crème fraîche, en tarte ou en cake comme on le ferait avec des épinards. C'est délicieux !

urtica

FAIRE SES COURSES

Tous les goûts sont dans la nature, et pas mal de plantes comestibles aussi. En voici quelques-unes à cueillir au bord des chemins et à inviter dans l'assiette.

taraxacum

DANS LES CHAMPS

LE PISSENLIT

On ne le présente plus ! Le *Taraxacum officinale* est sans doute le légume sauvage le plus fréquemment ramassé et cuisiné. Reconnaissable à ses jolies fleurs jaunes, il est bourré de vitamines A et C, et de sels minéraux. Il se mange tout entier, des racines aux fleurs. Au Japon, les racines se dégustent sautées avec de l'huile et de la sauce soja. Avec les feuilles tendres, faites une belle salade et terminez par les fleurs, que vous sublimerez en confiture.

LA MÂCHE SAUVAGE

Vous connaissez la mâche de Bretagne ? Sa cousine sauvage, *Valerianella locusta*, pousse partout pour pas un rond. Il n'y a qu'à se baisser. Vous la trouverez le long des haies, fossés ou talus, près des chemins de campagne. Reconnaissable à sa couleur vert clair, elle est très douce au toucher. Cueillez-la délicatement en saisissant la plante entre le pouce et l'index, et en la coupant avec l'ongle. Cuisinez-la en salade, avec des pommes de terre et du magret fumé : divin !

valerianella

locusta

Stellaria media

LA STELLAIRE

La *Stellaria media* pousse aussi dans les potagers. Vous aviez l'habitude de la désherber ? Ne la jetez plus, cueillez-la et régalez-vous. Elle pousse en « touffes », comme un tapis vert. Là où elle se présente, elle indique que le sol est sain. On mange ses tiges, ses feuilles et ses fleurs. Avec son petit goût de noisette, elle est très nourrissante et peut servir de base à vos salades. Lavez-la bien avant de la ciseler. Ajoutez un filet de vinaigre de cidre et 1 c. à s. d'huile d'olive.

LA LIVÈCHE

C'est un genre de bouillon-cube en version verte et naturelle. On trouve la livèche en altitude (comme son autre nom « ache des montagnes » l'indique), mais on peut aussi la planter dans son potager. Pour parfumer vos plats d'hiver, transformez votre livèche en glaçons : faites-la infuser dans de l'eau bouillante, versez dans un bac à glaçons, puis congelez.

levisticum officinale

CONFITURE AUX FLEURS DE PISSENLIT

Les fleurs de pissenlit permettent de confectionner une délicieuse gelée baptisée « cramaillotte », spécialité de Franche-Comté. Prenez 365 belles fleurs de pissenlit, lavez-les et faites-les sécher quelques heures. Prélevez le zeste de 2 oranges et de 2 citrons bio. Coupez ensuite les agrumes en rondelles. Placez les fleurs dans une bassine à confiture avec 1,5 litre d'eau, les morceaux d'agrumes et les zestes, faites cuire 1 heure après les premiers frémissements. Filtrez et ajoutez 1 kg de sucre. Faites cuire 45 min, jusqu'à épaississement. Versez dans des pots en verre ébouillantés.

SE SOIGNER AU NATUREL

Vous n'êtes pas dans votre assiette ? Passez donc à table.
Pour vous soigner, on a demandé à nos grands-mères
de nous confier leurs remèdes.

BOBO DE PATATE

Vous êtes maladroit et cuisinez comme
une patate ? Utilisez-la pour soigner
vos plaies. Coupez-vous (mais pas trop
quand même), coupez une pomme
de terre en deux, passez-la sur votre plaie
et oubliez la douleur !

GLACE DE MALADE

Pour soulager les maux de ventre
et détoxifier l'organisme, au charbon !
Ajoutez 1 c. à c. de charbon végétal
en poudre (à trouver en magasin bio
ou en pharmacie) dans un yaourt avec
du miel. Placez au congélateur. Avant
de servir, mixez et recouvrez de fruits.

PISSE-MÉMÉ

Si c'est enflammé en bas (voies
urinaires ou douleurs rhumatismales),
montez à l'arbre : les queues de cerise
sont utilisées comme diurétiques.
Laissez-en bouillir une poignée 3 min
dans 1 litre d'eau. Laissez infuser
10 min, filtrez et buvez à volonté
dans la journée, pendant 3 semaines.

COULEURS BUCCALES

Angine ? Mettez 1 c. à c. de curcuma avec un peu de poivre dans une tasse d'eau tiède. Gargarisez-vous bruyamment au-dessus d'un évier avant de tout y recracher. Souriez de toute votre glotte plus tout à fait rouge (et de vos dents jaunes).

VERT ANTIBLEU

Il faut toujours avoir un bouquet de persil dans la poche. Pas pour parfumer sa veste, mais en cas de contusions. Appliquez sur le bleu un cataplasme de feuilles de persil hachées enveloppées dans une compresse, maintenues avec un sparadrap.

JUSTE DE L'EAU

Vous n'avez plus rien dans vos placards pour soulager ce mal de tête ? Parfait. Buvez 1 à 2 tasses d'eau chaude que vous aurez préalablement fait bouillir. N'y ajoutez rien et buvez-la le plus chaud possible. Les tissus se dilatent et la tête se détend.

YAOURT ACTIF

Attention, révélation métaphysique : pour calmer les brûlures d'estomac, il suffit de manger un yaourt nature. Le soulagement est presque instantané.

RAMONEUR DE BRONCHES

Vous toussez comme un fumeur au petit déjeuner ? Creusez un gros navet et remplissez la cavité obtenue de sucre roux en poudre. Un sirop se forme en quelques heures. Buvez-en 3 à 4 c. à c. par jour.

DOMPTEUR D'APHTE

Si un aphte vous rend marteau, tentez le clou de girofle. Faites bouillir 5 clous de girofle dans 1 litre d'eau pendant 15 min. À utiliser en bain de bouche ou à boire pour donner un coup de pouce au système immunitaire.

LE POIVRIER DU SICHUAN

Cet arbre très rustique apprécie l'exposition ensoleillée ou à mi-ombre. En revanche, il ne supporte pas du tout la sécheresse. Il donnera ses fruits à l'automne au bout de 4 à 5 ans. On peut manger l'enveloppe de ses baies, au goût puissant et frais. À haute dose, ce poivre donne des picotements, voire anesthésie la langue. Pourtant, on en redemande !

Zanthoxylum piperitum

LES HAIES GOURMANDES

Il n'y a pas que les thuyas et autres troènes qui font des haies ! Beaucoup d'arbres à fruits peuvent les remplacer. La diversité d'essences limite le développement des maladies et des ravageurs. Autant d'efforts en moins pour le jardinier naturel.

Arbutus unedo

L'ARBOUSIER

Il ne résiste pas aux grands froids et a besoin de beaucoup de lumière pour s'épanouir. Mais, quand ces conditions sont réunies, il a une allure magnifique : il ne porte pas le surnom d'« arbre à fraises » pour rien. Il a la faculté rare de donner en même temps fleurs et fruits. Ces derniers sont appréciables seulement en confiture ou en pâtisserie.

Prunus tomentosa

LE RAGOUMINIER

C'est un arbre buissonnant très tolérant au froid, qui préfère les sols bien drainés et peu argileux et les expositions ensoleillées. Il grandit très vite et supporte bien la sécheresse dès sa deuxième année. Il apprécie d'être installé en haie et peut supporter la culture en pot. Ses fruits ressemblent à des petites cerises, à consommer en confitures, en compotes ou en pâtisseries.

Punica granatum

LE GRENADIER

Voilà une plante aux allures exotiques qui surprendra bien des visiteurs : imaginez servir une grenade du jardin en dessert à vos invités ! Cet arbre ne résiste pas aux grands froids et a besoin de soleil. Il peut être cultivé en pot, mais sa croissance très lente le rend plus adapté à la pleine terre.

L'AMÉLANCHIER DU CANADA

Il tolère tout type de sol, supporte des gels très sévères et accepte une exposition ensoleillée ou à mi-ombre. Sa seule crainte : la sécheresse. Ses fleurs blanches sont très jolies au printemps et son feuillage rougit à merveille à l'automne. Son fruit, l'amélanche, se récolte à l'été et se mange cru ou cuit (on le préfère en confiture).

Amélanchier Canadensis

Mespilus germanica

LE NÉFLIER COMMUN

Il aime la mi-ombre et résiste aux grands froids. Il a toute sa place dans une haie gourmande malgré sa croissance plutôt lente. Ses fruits ne se consomment qu'après avoir subi des gelées.

L'ELAEAGNUS UMBELLATA

Lui se plaît dans la plupart des sols, en dehors de ceux gorgés d'eau. Il tolère des gels sévères et des expositions ensoleillées à mi-ombre. Ses fleurs sentent bon, ses baies se récoltent à la fin de l'automne et se mangent en dessert… ou donnent de très bonnes confitures.

Elaeagnus umbellata

Hippophae rhamnoides

L'ARGOUSIER

C'est un arbre commun des dunes et des bords de plages. Très rustique, il est adapté aux sols pauvres, caillouteux ou sableux. Il a besoin de soleil et il faut plusieurs pieds mâles et femelles pour qu'il soit productif.
Ses petites baies orangées et acidulées sont pleines de vitamine C et se récoltent dès le mois d'octobre. À point pour votre cure de vitamines hivernale !

S'INITIER À

7 bonnes idées autour du

MARC DE CAFÉ

Pas besoin de s'appeler madame Irma pour lire dans le marc de café l'avenir de ce déchet hautement recyclable. À vos tasses !

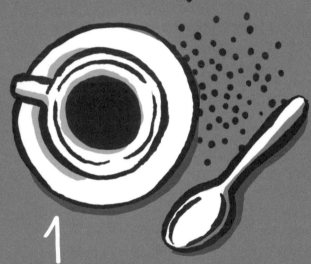

1 À BOIRE ET À MANGER

Après avoir bu votre café, déposez le marc dans une assiette. Laissez-le sécher à l'air libre en l'aérant régulièrement à l'aide d'une fourchette. Conservez-le dans un pot pour parfumer un plat en sauce, une purée de céleri, une pâte à tarte, un crumble, un gâteau au chocolat… Pour donner un arôme léger de café à une crème brûlée, anglaise ou une panna cotta, laissez infuser 1 c. à c. de marc déshydraté dans de la crème ou du lait chaud, puis filtrez.

2 PROPRE À TOUT

Pour les mains affreusement sales de cambouis ou de terre, une casserole de graisse brûlée, une hotte ou une gazinière très encrassée, mélangez du marc avec du savon liquide et pratiquez un bon récurage à la brosse. Vous allez l'appeler Saint-Marc !

3 EN ODEUR DE SAINTETÉ

Pour neutraliser les mauvaises odeurs dans le réfrigérateur ou le placard à chaussures, glissez-y un bol de marc. Dès qu'il est sec, remplacez-le. Vos mains se souviennent de l'ail ou du décorticage des crevettes malgré un bon savonnage ? Frottez-les avec du marc. En bonus, une peau toute douce.

6 EXFOLIANT DE FOLIE

Mélangez le marc avec une noisette de gel douche, puis frottez votre corps humide en insistant sur les zones les plus rugueuses. Vous voilà poli comme un galet ! Pour le visage, on l'adoucit avec 1 c. à c. de miel liquide et d'huile végétale bio. Ajoutez-le à la dose de shampoing, il est bénéfique pour les cuirs chevelus irrités ou les cheveux gras. Massez doucement pendant quelques minutes pour que la caféine agisse sur les racines. Si quelques grains persistent après le rinçage, un bon coup de brosse les éliminera.

4 MARC AU JARDIN

Tout jardinier devrait commencer sa journée par un bon bol de café. Condition préalable : le marc réutilisé doit être bien sec. Aussi efficace que le sable pour éloigner limaces et escargots au potager. Répulsif, il fait mouche sur la mouche, mais aussi sur les pucerons. Pour sauver vos rosiers et les plantes infestées, pulvérisez-le mélangé à de l'eau. Enfin, c'est un excellent fertilisant du sol et des plantes en pot. N'abusez pas tout de même, au risque d'acidifier la terre.

7 COULEUR CAFÉ

Pour teindre un tissu ou renforcer la couleur d'un meuble en bois, mélangez 10 c. à s. de marc de café dans 1 litre d'eau bouillante, laissez cuire 10 min, puis filtrez. Appliquez votre teinture à l'aide d'une éponge en adaptant le nombre de couches selon la teinte voulue.

5 RÉPULSIF

Votre chien a des puces ? Lavez-le puis frottez son pelage avec du marc. Laissez agir 3 min avant de rincer.

*« Éteins la lumière en sortant ! »
Vous avez entendu cette phrase mille
fois dans votre enfance ? Voici quelques
idées pour renouveler le concept
et réduire vos factures d'énergie.*

ÉCONOMISER
DE L'ÉNERGIE

LES BONNES AMPOULES

Les ampoules les plus économes sont
les LED. Elles coûtent nettement
plus cher que les ampoules basse
consommation (ABC), mais,
heureusement, durent bien plus
longtemps : environ 40 000 heures
pour les LED contre 8 000 heures
pour les ABC. Promis, c'est rentable !

LA CHASSE AUX VEILLES

De la télé à l'imprimante en passant
par le four à micro-ondes, les
lumières de veille sont partout ;
elles représentent jusqu'à 10 % de
la facture d'électricité hors chauffage
et ne servent la plupart du temps
à rien. Pour en éteindre plusieurs
d'un coup – par exemple, toutes celles
qui concernent les appareils liés à votre
ordinateur –, installez des multiprises
avec interrupteur.

LA BOX OFF

Une box peut consommer plus
de 200 kWh par an, soit autant qu'un
lave-linge. Vous pouvez pourtant
l'éteindre chaque fois que vous ne
l'utilisez pas : la nuit, quand vous sortez,
et surtout pendant les vacances !

BOURRER
LA MACHINE À LAVER

Avec le programme demi-charge de votre lave-linge, vous allez économiser l'eau, mais pas l'électricité. Soyez donc patient pour le mettre en route. Attendez que le tambour soit plein et faites-en autant avec le lave-vaisselle.

METTRE LE COUVERCLE

Couvrir ses casseroles, un geste simple qui permet de consommer jusqu'à 4 fois moins d'énergie ! Faites donc mitonner vos petits plats avec un couvercle, ça vaut le coup.

LA BONNE NOTE

Un nouvel appareil électrique à acheter ? N'oubliez pas de consulter sa note sur « l'étiquette énergie ». Si c'est A+++, c'est tout bon. Si c'est G, fuyez. Et pour vous aider à choisir, rendez-vous sur le comparateur guidetopten.fr qui classe les produits en fonction de leur consommation d'énergie et de leur prix.

DÉGIVRER LES APPAREILS à FROID

3 cm de givre dans le congélo ou le frigo et vos appareils consomment 30 % d'énergie en plus. Pensez à les dégivrer dès que nécessaire. Autre bonne pratique : dépoussiérer les grilles à l'arrière de ces machines permet aussi une production plus économe du froid.

UN PULL, MA POULE

Surchauffer sa maison pour vivre en tee-shirt toute l'année, c'est passé de mode. La tendance actuelle, c'est 19 °C dans les pièces à vivre, 17 °C dans les chambres. Quand vient l'hiver, enfilez un pull douillet et glissez-vous sous une bonne couette. Baisser le chauffage de 1 °C correspond à 7 % d'économie d'énergie.

MOLLO SUR L'EAU CHAUDE

Chauffer l'eau pour rien, ce serait dommage. Mieux vaut éteindre son ballon d'eau chaude quand on part en vacances, se laver les mains ou nettoyer les légumes à l'eau froide, prendre des douches courtes et avec réducteur de débit.

PETIT ÉCRAN

Vous aimez les grands écrans ? Allez au cinéma. Parce qu'en matièrc de télévision mieux vaut choisir petit. Un téléviseur de 160 cm de diagonale consomme autant que 3 ou 4 appareils de 80 cm.

S'INITIER À

PAILLER SANS PAYER

Le paillage est une technique qui consiste à couvrir une surface afin de conserver l'humidité, nourrir le sol, protéger du gel ou encore réduire la pousse des plantes spontanées. On peut pailler avec...

LA PAILLE

C'est la partie non comestible des céréales. L'idéal est d'étendre une couche de 20 cm de cette matière très carbonée sur vos parcelles juste avant l'hiver, en équilibrant avec d'autres matières plus azotées, comme du compost ou des tontes de gazon. Le hic : il est difficile d'en trouver en milieu urbain, ou alors à des prix peu abordables quand on est fauché (vous l'avez ?).

LA TONTE OU LE FOIN

On confond souvent les deux, mais le foin n'a rien à voir avec la paille. Ce sont des herbes tondues ou fauchées puis séchées, qui deviennent une matière nourrissante, très azotée. Allez-y mollo : 5 cm d'épaisseur max, voire moins s'il s'agit d'une tonte fraîche encore humide. Sinon, votre paillis risque d'entrer en putréfaction...

LES FEUILLES MORTES
OU AIGUILLES DE PIN

À chaque balade automnale, on peut remplir un sac de feuilles mortes à apporter au potager. C'est rapide à collecter, léger, ça sent bon, c'est joli et très fertile. Notez que certaines feuilles, comme celles du chêne, ou encore les aiguilles de pin, se décomposent très lentement, si bien qu'il peut être préférable de les broyer.

LES CAILLOUX
OU LA BRIQUE CONCASSÉE

C'est une alternative souvent gratuite aux billes d'argile. Elles accumulent la chaleur, ce qui peut plaire aux plantes tropicales notamment.

LE PLASTIQUE

Certes, il fait moins rêver ! Mais il est possible de couvrir un potager avec des bâches d'ensilage ou d'emballage destinées à la poubelle. Elles seront réutilisables pendant plusieurs années et vous éviteront de retourner le sol ou de passer la tondeuse, puisque, après quelques mois sous bâche, votre terre sera prête pour les cultures.

LE CARTON

Ils sont faciles à plaquer au sol avec des pierres ou des branches, et remplis de cellulose nourrissante. Les cartons non traités, non blanchis – et débarrassés de leurs scotch et agrafes –, sont des paillis parfaits : ne les jetez pas après votre prochain déménagement !

LA TOILE DE PAILLAGE
EN JUTE OU EN CHANVRE

Ces toiles vendues en jardinerie sont très efficaces, notamment pour éviter la pousse de plantes spontanées. Elles nourrissent le sol en se décomposant. Mais il faut investir chaque année plusieurs dizaines d'euros.

LES DRÈCHES

Ce sont les résidus de brasserie, issus en général de l'orge. Les brasseurs de votre coin vous en donneront sûrement si vous êtes aimable, voire si vous leur achetez des binouzes de temps à autre. Les précautions d'usage sont les mêmes que pour les tontes de pelouse.

LES COPEAUX DE BOIS ET LE BRF

On trouve de plus en plus de copeaux de bois dans les potagers. Mieux vaut les étaler en hiver ou les arroser si on le fait en période sèche. Les meilleurs copeaux sont appelés BRF, ou bois raméal fragmenté. Il s'agit de jeunes branches coupées à la fin de l'automne, quand elles contiennent le plus de nutriments.

LES BILLES D'ARGILE

Elles sont pratiques et durables pour des plantes en pot, mais leur prix est prohibitif pour tout autre usage.

S'INITIER À

TOILETTES PROPRES ET ÉCOLO

Et si on envisageait de transformer le petit coin en géant de l'écologie ? Il y a tant à faire aux W.-C. : économiser l'eau, le papier, éviter les produits polluants et même valoriser nos déjections en compost !

PQ RECYCLÉ

Votre papier toilette sera, au minimum, en papier recyclé, non blanchi. S'il est doté de l'écolabel européen (la fleur avec 12 étoiles), c'est mieux. Ce logo garantit, par exemple, une consommation d'énergie réduite durant la production.

LINGETTES EN TISSU

Certains membres de la famille zéro déchet, parmi les plus motivés, remplacent le papier toilette par des carrés de tissu en coton, réutilisables, qu'il faut laver à très haute température après chaque utilisation. Cap de franchir le pas ?

DÉTARTRER

Si du tartre s'est incrusté, utilisez, avec précaution, des cristaux de soude. Enfilez des gants pour en verser une poignée dans de l'eau chaude. Versez le liquide sur les parois. Laissez agir 15 min au moins avant de brosser.

VINAIGRE ET BICARBONATE

Oubliez la Javel et les produits compliqués. Pour obtenir des W.-C. impeccables, sans polluer, versez plutôt du vinaigre blanc sur les parois de la cuvette. Saupoudrez de bicarbonate de soude. Ça fait pschitt ! Les deux produits entrent en effervescence. Laissez-les agir 30 min avant de frotter avec la brosse.

BIDET OU DOUCHETTE ?

Les Japonais sont adeptes du système « washlets » : un jet intégré aux W.-C., avec intensité, température et direction réglable grâce à une télécommande ! Pour s'inspirer de cette pratique qui permet de limiter l'usage du papier (ou des lingettes), vous pouvez facilement installer un jet d'eau sur vos W.-C.

DÉSODORISER

Contre les effluves incommodants, on n'a pas trouvé mieux : craquez une allumette et soufflez presque aussitôt sur la flamme. L'agréable odeur du soufre remplace toutes les puanteurs.

TOILETTES SÈCHES

LES TOILETTES À LITIÈRE

Le système le plus simple consiste à recueillir l'ensemble de ses besoins dans un seau, auquel on ajoute de la sciure, des copeaux de bois ou des cartons qui évitent les mauvaises odeurs. On vide le seau régulièrement pour en faire du compost (1 à 2 fois par semaine pour une famille).

LES TOILETTES À SÉPARATION

Elles permettent de séparer urine et matière solide, le plus souvent avec un tapis roulant situé dans la cuvette. L'urine file dans les eaux grises. La matière fécale s'en va vers une boîte de compost contiguë, où elle est transformée en compost grâce à des lombrics.

FRANCHIR LE CAP ?

Les toilettes sèches sentent-elles mauvais ? Peut-on utiliser le compost qui en est issu dans le potager ? Pour tout savoir sur le sujet mais aussi lire des témoignages de foyers qui ont franchi le cap ou trouver des plans pour les faire vous-même, rendez-vous sur le site **terreau.org**, dédié à l'assainissement écologique.

EN VILLE AUSSI

L'association La Fumainerie (**lafumainerie.com**) veut convaincre les citadins des bienfaits des toilettes sèches, même en appartement.
À Bordeaux et dans ses environs, elle déploie depuis mars 2020 le premier réseau de collecte et de valorisation de la production de toilettes sèches. Ces dernières sont installées chez des particuliers, dans des entreprises ou des lieux accueillant le public.

CUISINER

Attention, après avoir lu cette page, une irrésistible envie de manger, de cueillir, voire de cultiver des fleurs pourrait vous envahir. Buffet à volonté dans les rosiers !

LES FLEURS

LIMONADE EXISTENTIELLE

5 litres d'eau, une dizaine d'ombelles de fleurs de sureau, du sucre et beaucoup de jus de citron : laissez macérer quelques semaines dans de grandes bonbonnes en verre. Le bouchon va-t-il tenir sous les assauts des petites bulles ? Le mélange va-t-il virer à l'aigre ? Non, ce sera juste trop bon !

ANTITOUX TOUT DOUX

Grâce à ses propriétés expectorantes, ce sirop rouge écarlate est une véritable panacée en cas de mal de gorge et de toux sèche. Laissez infuser 10 min 250 g de fleurs de coquelicot dans 25 cl d'eau bouillante. Filtrez. Ajoutez 250 g de sucre et laissez mijoter. Posologie : boire 1 à 2 c. à s. de sirop, 3 fois par jour pendant 4 jours (pour les enfants, diviser les doses de moitié).

VENDRE LES POTS D'OURS

Piquez des bourgeons de fleurs d'ail des ours (où et à qui vous voulez). Placez-les dans le fond de pots de confiture. Versez-y 30 cl de vinaigre de cidre et 15 cl d'eau bouillante. Patientez sagement 1 mois avant de consommer vos pickles aillés.

EN ROUGE SANS NOIR

Pilez au mortier des fleurs de capucine, riches en arômes poivrés, avec un peu de sel : elles tournent noires comme l'ébène. Rehaussez leur couleur originelle avec quelques gouttes de citron. Ce condiment n'en fera pas moins que les précieux grains noirs.

ÉPICE FLORALE

De l'exotisme local ! À la place de la vanille, les fleurs séchées de sureau parfument glaces, crèmes ou généreuses ganaches. À cueillir à pied dans le jardin, sans traverser l'océan (une mare à la limite, mais c'est tout).

COMME UNE FLEUR EN PÂTE

Choisissez une huile essentielle comestible de fleur (ylang-ylang, géranium, néroli…). Ajoutez 1 ou 2 gouttes dans 75 g de beurre demi-sel mou, à garnir avec du sucre, 2 œufs, 175 g de farine, 75 g d'amandes en poudre, 1 yaourt et 1 sachet de levure chimique. 45 min à 180 °C pour un voyage en jardin exotique !

COQUELICOT AU DODO

Grâce à ses propriétés sédatives et apaisantes, le coquelicot agit comme un somnifère léger. Faites sécher des pétales à l'ombre, bien étalés, en prenant soin qu'ils ne se chevauchent pas. Puis faites infuser, quand le besoin se fait sentir, 2 c. à c. de pétales séchés pour une tasse de 15 cl d'eau frémissante, 10 min environ. Buvez 1 à 3 tasses par jour pour sombrer toute une nuit.

S'INITIER À

Faire ses CONSERVES

*Nous n'avons pas encore trouvé la recette magique pour prolonger
le hâle d'été ni enfermer les rayons du soleil dans une boîte.
Mais mettre les légumes d'été en bocal pour les déguster
toute l'année, ça, on sait faire !*

La recette

1. PRÉPARER

Retirez les pédoncules
des tomates.

Les ingrédients

- **2 kg de tomates** (des jaunes, des rouges, des vertes)
- **3 gousses d'ail**
- **3 oignons**
- **1 filet d'huile d'olive**
- **Fines herbes**

2. IMMERGER

Plongez-les 30 secondes
dans un grand volume d'eau bouillante,
puis dans un saladier d'eau glacée.

3. ÉPLUCHER

Coupez-les grossièrement.

4. ÉMINCER

Attaquez-vous à l'ail
et aux oignons, à couper
finement.

5. MIJOTER

Faites revenir les oignons et l'ail dans une cocotte
avec de l'huile, puis ajoutez les tomates et les fines herbes.
Couvrez et laissez cuire à feu très doux pendant
au moins 2 heures.

6. CONSERVER

Versez la sauce dans un bocal
stérilisé, une fois qu'elle a bien
réduit et que tous les sucs
sont concentrés.

7. STÉRILISER

Immergez le bocal dans
une grande casserole remplie
d'eau à 100 °C pendant 45 min.

Utilisation

Cette sauce tomate se conserve environ 1 an dans un endroit sec à l'abri
de la lumière. Elle propulse directement votre assiette de pâtes au rang de meilleur
plat du monde ! Marre des pastas ? Vous pouvez toujours bricoler une chakchouka :
réchauffez la sauce, cassez des œufs sur le dessus et ajoutez de la coriandre fraîche.

187

LA DÉCROISSANCE |

S'INITIER À

SOIGNER LES BOBOS
DES BAMBINS *bouuh !!*

Pour soigner les bobos des petits, huiles essentielles, granules homéopathiques, baumes maison sont les meilleurs alliés.

LA PLAIE !

Une égratignure, ça saigne et ça picote ? Nettoyez la plaie avec de l'eau et du savon de Marseille. Désinfectez avec un hydrolat d'hamamélis, excellent antiseptique naturel. Recouvrez enfin d'une goutte d'huile de calendula ou de millepertuis.

CHAUD DEVANT

Qu'il s'agisse d'une brûlure domestique ou causée par un coup de soleil, appliquez de l'huile de millepertuis sur la zone touchée et donnez une dose de calendula en granules. Attention, l'huile de millepertuis pouvant rendre photosensible, mieux vaut ne pas s'exposer aux UV après appliquez-la le soir.

MAL AU CŒUR

Vos enfants sont malades en voiture ? L'idéal avant d'avaler des kilomètres, c'est d'avaler une banane bien mûre au petit déjeuner (astuce de marins avant d'embarquer) ! La banane est l'aliment qui irrite le moins le tube digestif en cas de vomissements.

POUR LES PETITS CONSTIPÉS

Recette laxative : écrasez à la fourchette une demi-banane bien mûre, ajoutez 2 c. à s. d'huile de sésame, 1 c. à s. d'huile de chanvre, 1 c. à s. de graines de lin broyées et le jus de ½ citron. Enfin, quelques fruits de saison coupés en morceaux et des graines pour animer le tout !

LA P'TITE BÊBÊTE

En cas de piqûre par un insecte, commencez par retirer le dard s'il y en a un. Froissez quelques feuilles de persil ou de plantain entre vos doigts et frottez-en la piqûre pour calmer les démangeaisons.

PAR TOUXTATISS

Contre la toux, préparez un baume décongestionnant maison. La recette, 100 % naturelle et facile à réaliser, soulage le nez bouché et les bronches encombrées des enfants de 6 mois à 6 ans. Pour un baume de 3 cl, prévoyez 1 c. à c. de beurre de karité, 1,5 cl d'huile d'amande douce et 2 g de cire d'abeille. Faites fondre au bain-marie la cire, le beurre et l'huile. Fouettez et laissez refroidir. Ajoutez, à froid, l'huile essentielle de menthe poivrée. Attention, ce baume ne remplace aucunement une visite chez le médecin.

TAC-TIQUES

Si une tique s'est nichée dans la peau, retirez-la avec un tire-tiques, puis appliquez 1 goutte d'huile essentielle de tea tree sur la plaie (ou autre désinfectant). Ensuite, laissez sécher un emplâtre d'argile à l'endroit de la morsure (l'argile absorbant le venin animal).

Couper l'eau du robinet quand vous vous brossez les dents, prendre des douches plutôt que des bains, vous le faites déjà ? Bravo ! Alors maintenant, passez à la vitesse supérieure.

ÉCONOMISER
L'EAU

J'IRAI OÙ TU IRAS OUHOUHOU...

STOP DOUCHE

Le « stop douche » permet, en un clic sur un bouton pressoir, d'arrêter l'eau sans changer la température, le temps de se savonner. Vous évitez ainsi de laisser couler des litres d'eau parfois nécessaires pour trouver la bonne température, au moment d'ouvrir le robinet.

3 MIN CHRONO

Il faut jusqu'à 200 litres d'eau pour un bain, contre 20 litres pour une douche… À condition qu'elle soit courte ! Faire sonner un gong au bout de 3 à 5 min, à l'aide d'un minuteur de cuisine, peut être très utile. Chanter à tue-tête sa chanson préférée et sortir quand elle est terminée, ça marche aussi !

UNE DOUCHE
EN BOUCLE

La start-up toulousaine Ilya planche sur un système dans lequel l'eau de la douche est récupérée dans le bac, grâce à une pompe, pour être filtrée et retourner dans le pommeau. Ainsi, même en prenant tout votre temps, vous n'utiliserez que 5 litres d'eau.

COLLECTER L'EAU DE PLUIE

Il existe toutes sortes de systèmes de récupération d'eau de pluie dans les magasins de bricolage. Vous pouvez aussi simplement placer un récipient à la sortie d'une gouttière et vous servir de cette eau pour arroser, nettoyer la maison, la voiture…

TOILETTES *SOUS SURVEILLANCE*

Les W.-C. actuels sont équipés d'une chasse d'eau double débit qui permet de sacrées économies. À défaut, pour réduire le volume du réservoir, placez à l'intérieur une bouteille remplie d'eau.

TRAQUER LES FUITES

Notez les chiffres du compteur d'eau avant d'aller dormir. Faites en sorte que personne n'utilise d'eau dans la nuit. Si les chiffres ont augmenté au matin, c'est le moment de faire la chasse aux fuites. Pour vous motiver, rappelez-vous qu'un robinet qui goutte gaspille en moyenne 120 litres par jour.

TOILETTES AVEC LAVABO INTÉGRÉ

L'idée est modeste et géniale : des toilettes surplombées d'un lavabo. Lavez-vous les mains et l'eau est récupérée dans le réservoir de la chasse d'eau.

RÉCUPÉRER L'EAU

Pour arroser le jardin ou les plantes d'intérieur, adoptez des réflexes de récup' : placez une bassine dans le bac de douche, pour récolter l'eau froide qui coule au début, ou dans l'évier de la cuisine quand vous lavez des légumes, par exemple.

DE L'AIR DANS L'EAU

On trouve toutes sortes de « mousseurs », « aérateurs » ou « réducteurs de débit ». Il suffit de les visser entre le robinet et son embout ou au niveau du flexible pour la douche, quand ils ne sont pas déjà inclus dans le dispositif. Ils injectent des microbulles d'air dans l'eau, réduisant ainsi le débit de 25 à 50 % sans modifier le confort d'utilisation.

S'INITIER À

Vivre sans frigidaire, impossible ? Voici nos astuces pour conserver, sécher, fermenter, emballer sa nourriture et réduire à zéro sa facture d'électricité.

VIVRE SANS FRIGO

DES LÉGUMES EN BOUQUETS

Les légumes à grande tige sont particulièrement difficiles à caler dans le bac à légumes : ne dites pas le contraire ! Alors débranchez le frigo, et placez-les dans des vases ou des bocaux. À la lumière, les pieds dans l'eau, ils garderont leur teint de pêche, surtout si vous leur offrez juste un fond d'eau pour tremper leurs barbichettes et que vous renouvelez leur breuvage régulièrement.

LES FRUITS SUSPENDUS

Mieux que des suspensions dernier cri, les kakis bien pendus ! Pour conserver ce fruit hivernal qui pousse particulièrement bien sur la Côte d'Azur, suspendez-les par la queue et installez votre mobile sous la toiture de votre maison, au-dessus d'un radiateur, près d'une fenêtre.

LE BEURRE SE JETTE À L'EAU

Mieux qu'un frigo, un beurrier aquatique ! Le principe est simple : tassez du beurre dans un bol de façon à ce qu'il n'y ait pas de trou, remplissez le bol d'eau et posez une soucoupe par-dessus. À chaque utilisation, n'oubliez pas de vider l'eau (oui, d'accord, vous y aurez pensé) et tartinez.

CAROTTES À LA PLAGE

Votre maraîcher propose des carottes des sables ? Offrez-leur ce paradis dans votre cuisine. Remplissez une caisse à vin (ou une caisse tout court) de sable fin, pas celui du bac à sable, un plus propre, trouvé en jardinerie par exemple, et plongez-y vos légumes racines sans leurs feuilles. Partagez cette expérience avec panais, navet, betterave, céleri-rave ou pomme, tous fans de la playa.

MOMIE DE MAGRET

La salaison pour conserver les viandes, quelle bonne idée ! Prenez un magret de canard et 1 kg de sel de Guérande. Ensevelissez la bête dans le gros sel pour la faire disparaître complètement. Tassez et recouvrez d'un linge propre pendant 24 heures. Rincez le magret, épicez en ajoutant cannelle, cumin, baies roses concassées ou une pincée de piment d'Espelette. Enfin, emmitouflez-le dans un torchon et suspendez-le. Comptez jusqu'à 21 jours dans un environnement à moins de 21 °C. Dégustez.

S'INITIER À

6 bonnes idées autour du

MELON

Dans le melon, tout est bon ! Melonmanes amateurs, prêts à jouer la partition ?

1 CHOISIR UN BON MELON

Un bon melon est densément lourd et ses rayures vertes sont bien marquées. Sa robe doit être dorée (ni grise ni orange, dorée on vous dit !). Son pécou, ou pédoncule, vert, et pas sec. Enfin, son petit derrière doit être ferme, et il faut qu'il sente bon !

2 COUP DE MELON

Conservez les peaux de melon au réfrigérateur pour parer tous les coups de chauffe sur le visage, comme les coups de soleil. Appliquez sur les brûlures jusqu'à la disparition de la sensation de rafraîchissement. Pour une surface plus large comme le dos : pépins et chair mixés seront bienfaisants en cataplasme.

GOMMAGE SUCRÉ 3

Pour un exfoliant doux, prélevez 2 c. à s. de chair avec les pépins. Broyez-les au mortier. Ajoutez la même quantité de sucre cristallisé et 1 c. à s. de miel. Mélangez bien avant d'appliquer sur la peau à l'aide d'un gant en petits massages circulaires. Rincez.

EAU PARFUMÉE 4

Jetez la peau du melon, non pas dans la poubelle, mais dans un broc d'eau. Laissez infuser quelques heures au frais (le mieux, c'est de le faire la veille pour le lendemain). Cette eau est délicieusement rafraîchissante pour déjouer la canicule (voir aussi p. 120).

5 FERMENTATION ACCÉLÉRÉE

Votre melon montre des signes de maturité trop avancée pour être digne à table ? Il est bon pour la fermentation ! Brossez sa peau à l'eau sans trop insister pour préserver les levures à sa surface. Détaillez-le en petits morceaux et versez peau, graines et chair dans un bocal. Couvrez d'eau de source ou filtrée. Ajoutez 3 rondelles de citron et 3 c. à s. de sucre de canne. Fermez puis patientez 2 jours pour observer le pétillement. Filtrez puis placez au frais avant de savourer.

6 PÉPINS À CROQUER

Éliminez les filaments, rincez les pépins dans une passoire puis séchez-les. Dans une poêle, chauffez un filet d'huile d'olive avec 1 gousse d'ail et du curry avant d'y verser les pépins. Rissolez 3 min en remuant régulièrement. Un petit délice croustillant en topping dans une soupe ou à l'apéro. Les cacahuètes n'ont qu'à bien se tenir…

S'INITIER À

IDÉES DÉTOX

Vous vous sentez barbouillé ? Votre sommeil est agité ? Votre moitié vous trouve l'haleine chargée (c'était sans vouloir vous froisser) ? L'heure de la fameuse détox a sonné !

TISANE MIRACLE

Faites bouillir 25 cl d'eau dans une casserole. Plongez-y 2 clous de girofle et 1 bâton de cannelle. Laissez infuser pendant une dizaine de minutes, ajoutez-y le jus de ½ citron et 1 c. à s. de miel. Buvez.

POULE MOUILLÉE

Combat de coqs entre le bouillon de poule et l'infection, qui gagne ? La poule ! Immergez la carcasse dans 2 litres d'eau avec 2 carottes, 1 poireau, 2 navets, 1 oignon, 1 gousse d'ail. Laissez mijoter 2 heures, à petit bouillon. Filtrez et buvez.

LE PISSENLIT SANS LA RACINE

Ses feuilles (voir p. 170) sont hautement régénératrices, riches en vitamine A et PP, en calcium, en fer, en sodium, en potassium… Si vous ne comprenez pas tous ces termes, contentez-vous de laver les feuilles de cette salade sauvage et mélangez-les avec du vinaigre de pomme, de l'huile de noix, des graines de sarrasin et de tournesol, un peu de sel. Régalez-vous.

PESTO DE POTE

Riche en vitamines et en minéraux, anti-inflammatoire, diurétique, expectorant, dépuratif et même antibactérien, le plantain a tout de l'ami qui vous veut du bien ! Mixez-en 200 g avec 50 g de noix torréfiées, le jus de 1 citron, 3 gousses d'ail et 6 c. à s. d'huile d'olive. Étalez ce fruit de l'amitié sur une tartine.

BELLES PLANTES

Recommandées contre le rhume, la toux, les insomnies, les allergies, la migraine, les crises d'angoisse et les tracas urinaires, les fleurs de primevère ont tout pour plaire ! Afin d'en profiter, faites infuser les séductrices, sèches ou fraîches.

MASQUE À OXYGÈNE

Inspirez, expirez ! Vous connaissez malgré vous la voie royale pour éliminer une bonne partie des mucosités produites par la digestion. Faites pareil le pif dans un mouchoir que vous aurez parsemé de gouttes d'huiles essentielles de marjolaine, de citron ou de menthe poivrée.

MÂCHEZ, C'EST GAGNÉ

Le simple fait de mastiquer soigneusement chaque bouchée permet aux enzymes contenues dans la salive de prédigérer le bol alimentaire et de libérer de l'histamine, un neurotransmetteur qui déclenche la sensation de satiété. Vous facilitez le travail digestif tout en mangeant moins. Coup double !

S'INITIER À

BONS OU MAUVAIS SUCRES ?

Seul le glucose que l'on trouve dans les féculents et les légumineuses serait essentiel au bon fonctionnement de l'organisme et parfaitement assimilable. Et le fructose contenu dans les fruits ? Les fibres ralentissant son absorption dans l'intestin, il serait dommage de se priver de 1 ou 2 fruits par jour. On récapitule : se passer de sucre ajouté, mais exploiter celui présent naturellement dans les aliments.

SE PASSER DE SUCRE

Pour tous les accros qui n'ont pas la force de se priver de douceurs dans ce monde de brutes, il y a moyen de se faire plaisir sainement. Envie d'y croire ?

HUILES ESSENTIELLES ET HYDROLATS

Quelques gouttes parcimonieuses d'huiles essentielles de fleurs ou d'agrumes dans toutes vos préparations peuvent remplacer le sucre à merveille. Choisissez aussi les hydrolats : de l'eau chargée des composés aromatiques d'une plante. Hydrolats de fleur d'oranger, cassis, cannelle, verveine, ou géranium… Essayez la chantilly à l'eau de rose, délicate et osée !

FONDANT AU CHOC' LIGHT

Pour un bon haricochoco, mixez 200 g de haricots rouges cuits avec 5 cl d'huile de coco. Ajoutez 100 g de chocolat fondu à 70 % de cacao, 2 jaunes d'œuf et 1 c. à s. de bicarbonate de soude. Incorporez les blancs d'œuf que vous aurez battus en neige. Faites cuire 20 min dans un four préchauffé à 170 °C.

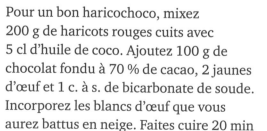

RETOUR AUX BASIQUES

Mixés, écrasés ou en compote, les fruits jouent les agents doubles en sucrant et texturisant crèmes, gâteaux, crêpes. Les plus forts en la matière sont la banane, la pomme et les fruits secs, comme les dattes ou les figues.

PARFUM DE ZESTES

Zestes de citron, d'orange, de bergamote, de mandarine… prélevés avec un zesteur ou râpés, au dernier moment et bien au-dessus de la préparation pour ne pas perdre une goutte du parfum des huiles essentielles libérées au passage de la lame. Attention de ne pas mordre sur le ziste, la sous-couche blanche, très amère.

SUCRE NATUREL ET ÉPICÉ

Cannelle, vanille, cardamome, badiane, anis et la championne, la fève tonka, avec ses arômes de caramel, vanille, chocolat et amande. À râper au-dessus de vos préparations à dessert, en touche finale.

EN CAS DE CRAQUAGE

Pour éviter de se jeter sur le premier macaron venu, dégustez quelques amandes ou noisettes avec 1 carré de chocolat 100 % cacao. L'envie s'évanouit aussi sec !

LE POMMECAKES

Pour 4 pommecakes, mélangez 100 g de farine de blé, 120 g de compote de pommes sans sucre ajouté, 12 cl de boisson végétale riz noisette, 1 œuf et une pincée de bicarbonate de soude. Une louche de pâte dans une poêle avec un peu de beurre, et quelques minutes de chaque côté. Ajoutez-y quelques amandes effilées, du jus de citron ou quelques framboises…

MOINS OU MIEUX ARROSER SES PLANTES

Chaud devant… Les épisodes caniculaires étant devenus un triste rendez-vous, on s'adapte en changeant nos manières d'arroser (sans se résigner !).

UN SOL VIVANT

Un sol riche est capable de retenir entre 10 et 50 fois sa masse en eau – beaucoup plus qu'un sol appauvri ou que du simple terreau ! Pour nourrir votre terre, misez sur les apports de compost ou de jus de lombricompost (voir p. 24).

ARROSER MIEUX

Si vous arrosez vos plantes chaque jour en petite quantité, elles vont s'y habituer et développer peu de racines profondes. Au moindre oubli ou retard d'arrosage, elles risqueront de manquer d'eau. À l'inverse, en arrosant beaucoup mais rarement, vous humidifierez la terre en profondeur et cela va encourager vos plantes à développer un réseau racinaire profond.

CRÉER DES OMBRAGES

Quand le soleil tape très fort, les plantes sont comme nous : elles aiment se protéger de ses rayons. Selon ce que vous avez sous la main, vous pourrez vous servir d'un parasol, de cagettes retournées ou d'un vieux drap suspendu. Pensez à emballer et protéger vos pots ou mettez-les à l'ombre !

PAILLER

On dit souvent qu'un paillage vaut 10 arrosages. Certains jardiniers parviennent même à ne pas arroser pendant une bonne partie de l'été en couvrant leurs plates-bandes de quantités de matières organiques (voir p. 12 et 180).

ENTERRER UN OYA

Le principe (appelé oya ou olla selon l'entreprise qui le commercialise) est simple : il s'agit d'enterrer des pots en argile remplis d'eau. Par nature poreux, ces pots laissent s'échapper leur eau progressivement dans le sol et arrosent ainsi peu à peu les plantes à proximité. Mieux : l'argile ne laisse sortir l'eau que quand la terre proche est sèche. Une vraie prouesse *low tech*, aussi efficace que les systèmes d'arrosage électroniques en plastique !

ARROSER AU BON MOMENT

Quand il fait chaud, mieux vaut arroser en fin de journée. Cela refroidit l'atmosphère et l'humidité perdure toute la nuit durant. Le début de journée, ça passe encore, mais surtout pas en plein soleil, quand l'évaporation est à son maximum.

DIY OYA

De nombreux jardiniers proposent des tutoriels en ligne pour fabriquer un système d'arrosage à partir de pots en terre cuite, en les bouchant à l'aide d'un bouchon en liège ou en assemblant 2 pots avec du ciment-colle. Pourquoi pas, mais prudence toutefois : il faut d'abord s'assurer qu'ils ne sont ni trop ni pas assez poreux.

GOUTTE-À-GOUTTE SOLAIRE

Pour ce système, récupérez une bouteille de 1,5 litre d'eau et une autre de 5 à 8 litres. Coupez la plus petite bouteille en son milieu : sa partie basse servira de réserve. Coupez ensuite la plus grande bouteille au quart de sa hauteur, en partant du bas. Le haut servira de cloche. Remplissez la réserve, couvrez-la avec la cloche et laissez le soleil faire son effet : l'eau de la réserve s'évapore, se condense sur la cloche et retombe sur le sol. Un arrosage automatique solaire !

GOUTTE-À-GOUTTE LOW TECH

Récupérez des bouteilles d'eau en plastique, les plus grandes possible. Percez leur bouchon de 1 ou 2 coups de cutter. Remplissez les bouteilles et placez-les tête en bas dans la terre. Assurez-vous que le débit n'est ni trop lent ni trop rapide. Ajustez éventuellement en donnant de nouveaux coups de poinçon ou de cutter.

LA DÉCROISSANCE

S'INITIER À

CUISINER SANS PLEURER

La cuisine est une jungle hostile pour les aventuriers en panne d'astuce. Pas besoin de machette affûtée pour s'en sortir, un petit tour de main suffira.

ÉMINCER UN OIGNON

L'histoire du cruel oignon qui fait pleurer petits et grands est un classique. Faites-lui prendre un bain avant qu'il agisse : plongez l'oignon épluché dans un bol d'eau froide pendant 15 min. Puis découpez sereinement les yeux grands ouverts (c'est plus sûr).

DÉCOUPE MANUELLE

Vous avez peur de laisser un doigt à chaque utilisation de la mandoline ? Laissez tomber (l'outil, pas vos doigts) et optez pour l'épluche-légumes, qui permettra la même épaisseur de découpe sans risque, pour les légumes comme pour le fromage à pâte dure.

PAS DE PÉTRIN

Vous avez les deux pattes dans la pâte ? Il y aura bientôt plus de pâte sur votre peau que dans le saladier ? Pour manipuler n'importe quelle pâte un peu trop collante, placez un petit récipient d'eau à côté pour humidifier très légèrement vos mains et gardez vos distances avec cet amoureux transi.

PÂTE À LA COQUILLE D'ŒUF

Y a-t-il plus agaçant qu'un morceau de coquille d'œuf qui tombe dans la pâte à gâteau ? Levez le doigt pour répondre, puis mouillez-le sous le robinet avant de récupérer l'esseulé sans lutter.

UNE CUILLÈRE POUR MAMAN

La racine de gingembre est aussi tortueuse que les maux dont elle pourrait accabler le cuistot. Pour lui faire la peau, armez-vous d'une simple cuillère (à café ou à soupe) et grattez la surface avec la pointe.

SALADE DÉPRIMÉE

Votre salade tire la tronche (mais pas à cause d'une réflexion déplacée) ? Plongez-la dans un bol d'eau glacée pour lui rafraîchir les idées, quelques heures avant le dîner. La voilà croquante et pimpante !

BAIN DE MIDI

Des huîtres sur le marché, mais pas de couteau à huîtres dans la cuisine. Voilà une équation fort déplorable. Trempez quelques minutes les coquillages dans de l'eau froide mélangée à un peu de bicarbonate de soude pour qu'ils ouvrent la bouche et mettent l'eau à la vôtre.

S'INITIER À

MODE D'EMPLOI

Faire ses SEMIS

Semer en barquette permet de semer à l'intérieur et de prendre de l'avance sur la saison : faites vos semis de tomates dès le mois de mars pour qu'elles soient déjà grandes quand vous les repiquerez au moment du redoux, au mois de mai. Ainsi, vous pouvez surveiller vos plantules et leur éviter d'être grignotées par des limaces !

Le mode d'emploi

terreau

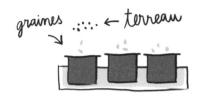

1. GARNIR

Remplissez vos pots à ras bord, puis tassez légèrement le terreau avec le pouce. Tapotez tout doucement le dessous des pots pour éviter que le terreau soit trop compact.

graines ← terreau

2. SEMER

Placez 2 ou 3 graines par pot, puis recouvrez-les d'une épaisseur de terreau d'environ 2 fois leur taille. Immergez ensuite les pots dans un bac ou un plat étanche afin que l'eau remonte par capillarité.

3. FAIRE GERMER

Placez vos pots à l'endroit le plus ensoleillé de votre logement et sortez-les en journée autant que possible. Les plantules vont mettre 3 à 7 jours à germer. Les laitues pourront être repiquées au jardin 2 à 3 semaines plus tard, les tomates 50 à 70 jours plus tard.

4. ARROSER

Humidifiez votre terreau en immergeant vos pots 3 à 4 fois par semaine.

Semis 100% récup

Tant qu'à faire, faites votre terreau vous-même : mélangez une moitié de terre du jardin, un quart de sable et un quart de compost mûr (voir p. 24). Tamisez le tout pour obtenir un substrat fin et bien homogène.

LA DÉCROISSANCE |

S'INITIER À

JARDINER SANS RIEN ACHETER

Jardiner gratuitement, ça vous branche ? C'est tout simple : prenez-en de la graine avec nos conseils avisés.

LE CYCLE DES GRAINES

Choisissez votre meilleure tomate, votre plus belle poire ou votre plus douce citrouille. Lavez leurs graines et pépins, séchez-les et semez-les quand leur temps sera venu. Dans l'intervalle, conservez-les au sec et à l'abri de la lumière, par exemple dans une enveloppe. C'est un moyen très économique d'apprendre le noble art de confier les graines à la terre.

POTS RÉCUP'

On trouve très souvent des pots abandonnés dans les poubelles des jardineries et des cimetières. Servez-vous. (Après avoir demandé l'autorisation aux responsables des lieux !)

BOUTURER À L'INFINI

La plupart des plantes peuvent être reproduites à l'infini à partir de quelques fragments. C'est une méthode gratuite et simple ! Renseignez-vous : certaines se bouturent par les feuilles, d'autres par la tige ou le rameau, d'autres encore par les racines. Utilisez toujours des outils propres et aiguisés pour faire vos coupes. Et bouturez 2 ou 3 fois plus que nécessaire : cela vous permettra de beaux dons et échanges.

EAU *PRÉCIEUSE*

Partagez votre douche avec un seau ou un arrosoir ! C'est un bon moyen de récupérer les nombreux litres d'eau qui coulent du robinet avant d'arriver à la température désirée. Dans le même genre, vous pouvez récupérer les eaux de lavage des légumes ou l'eau de votre déshumidificateur, si vous en utilisez un. Toutes ces astuces pourront couvrir vos besoins d'arrosage pour un petit potager ou une petite terrasse.

De nombreux sites sont spécialisés dans les échanges de graines. Les rubriques « jardinage » des sites de vente entre particuliers débordent d'annonces, et des trocs de plantes et de graines sont organisés dans la plupart des villes françaises.

TERREAU MAISON

Mélangez de la terre de jardin et du compost (voir p. 24) bien mûr, à proportion à peu près équivalente. Si le mélange est très lourd ou collant, ajoutez du sable. Tamisez ensuite le tout à travers une vieille passoire ou un grillage assez fin. Arrosez-le légèrement et gardez-le humide et à l'abri de la lumière pendant une quinzaine de jours. Retirez les éventuelles plantes spontanées avant de l'utiliser.

Les objets délaissés sont des trésors pour les bricoleurs et les amateurs de déco. Pas besoin d'être un artiste pour se lancer : il suffit juste de quelques bonnes idées.

IDÉES DÉCO RÉCUP'

BALANÇOIRE *À ACCOUDOIRS*

Il manque 1 pied ou 2 à une chaise munie d'accoudoirs ? Soyez radical : coupez tous les autres pieds ! Suspendue avec des cordes à un arbre solide, la chaise cassée devient une chic balançoire. Elle fera le bonheur des petits comme des grands !

AMPOULE À L'HUILE

Récupérez une ampoule usagée au sommet plat. Avec une pince, retirez le petit bout en métal au niveau de la douille. Puis percez la partie noire en plastique. Extirpez l'intérieur de l'ampoule (le filament) et versez de l'huile de paraffine. Il ne reste plus qu'à glisser une mèche dans le liquide et à allumer l'autre extrémité pour que la lumière soit, sans électricité !

COUVERTS RECOUVERTS

Chinez de vieux couverts en argent dépareillés en brocante (ça vaut *peanuts*). Appliquez la tactique cosmétique : peignez-les à moitié (du côté du manche) de teintes couvrantes et harmonieuses. Vous obtiendrez un service original et unique en son genre !

BRANCHEZ-VOUS

Les branches ramassées dans les bois
sont des trésors pour la maison.
Si elles sont grandes et solides,
calez-les dans un seau pour en faire
un portemanteau. Une branche droite,
suspendue à un clou à l'aide d'une ficelle,
permet d'exposer une pièce de textile,
des photos, des grigris, des bijoux…

BOÎTE-LIVRE

Choisissez un livre délaissé,
avec une jolie couverture rigide.
Découpez au cutter un rectangle
au centre des pages pour former
le creux de la boîte. Collez les pages
entre elles pour figer la boîte.
Rangez-y tous vos trésors !

BRIC ET BROC DE CHAISES

**Vous avez chiné ou même ramassé
dans la rue de vieilles chaises en bois ?
Pour donner un air épuré à l'ensemble
dépareillé et rehausser le style récup',
peignez-les toutes avec une seule
et même couleur.**

LE CHOIX DES PALETTES

Vous pouvez fabriquer toutes
sortes de meubles simples
ou sophistiqués avec des palettes.
Mais il vous faut d'abord
apprendre à les choisir.

- Celles dotées du logo
  Eur-Epal, de taille standard
  80 × 120 cm, sont les plus
  robustes.
- Les autres, de taille variable,
  sont moins solides mais plus
  légères et faciles à démonter.
- Laissez de côté celles avec
  le logo MB, elles sont traitées
  au bromure de méthyle,
  une substance toxique.

MOBILIER DESIGN

Avec 2 ou 3 palettes empilées et collées,
4 grosses roulettes accrochées
dessous dans les coins, vous fabriquez
une table basse.

Dans l'entrée, à la verticale, face haute
contre le mur, une palette vous sert
à ranger des chaussures ou même
à suspendre plantes et vêtements à l'aide
de crochets en S.

Pour créer un sommier, superposez
2 couches de palettes, installez
votre matelas et, dans les interstices,
rangez des livres ou posez des guirlandes
de lumière.

S'INITIER À

SURVIVRE EN PLEINE NATURE

*Crise climatique, pénurie d'énergie, pandémies…
Si vous trouvez que le futur n'est pas très réjouissant,
suivez donc notre guide survivaliste au lieu de vous obstiner
à construire un bunker en Nouvelle-Zélande.*

OBSERVEZ, RENIFLEZ, TOUCHEZ

L'être humain n'est pas fait pour manger matin, midi et soir. Il peut passer plusieurs jours sans s'alimenter. Si vous manquez de nourriture, ne paniquez pas ! L'accès à l'eau potable est nettement prioritaire. Observez bien votre environnement, apprenez dès aujourd'hui à reconnaître les plantes : reniflez, touchez, goûtez en toute petite quantité ce que vous ne connaissez pas et recrachez au moindre doute.

UN PEU D'EAU FRAÎCHE
ET DE VERDURE

Et si les mauvaises herbes devenaient vos plus précieuses alliées ? Les feuilles de pissenlit se consomment crues ou cuites. Les orties sont à cuire, comme les épinards (voir p. 170). La bourrache, riche en protéines, se prépare en tisane. La gesse a un goût de petit pois, et l'ail des ours est un délicieux condiment pour agrémenter vos menus sauvages.

AU PIED DE MON ARBRE

Pour survivre, inutile d'aller traquer le mammouth, mieux vaut dégoter un coin de forêt avec des chênes, des châtaigniers ou des hêtres, trois arbres qui vous apporteront une alimentation riche. Avec les glands du chêne, vous obtenez une farine nourrissante : passez-les à l'eau bouillante, changez l'eau régulièrement, laissez sécher puis réduisez en poudre. Avec l'eau bouillie, vous obtiendrez une sorte de café. Faites griller vos châtaignes au feu de bois. Avec les fruits du hêtre, les faînes, faites de la farine ou cuisez-les. Ses 45 % de matière grasse sont précieux pour passer l'hiver.

DEVENEZ CHASSEUR-PÊCHEUR

Dans une rivière ou le long d'un rivage, il est possible de pêcher avec un matériel de fortune. Le poisson est généralement facile à cuisiner et riche en acides gras non saturés, lipides, protéines et vitamines (B, A et D). Il est possible de le sécher ou de le fumer (voir p. 78) pour le conserver plus longtemps.

CHAMPIGNONS PAS VRAIMENT HALLUCINANTS

Les champignons sont délicieux et disponibles assez facilement, mais ils peuvent être toxiques et difficiles à digérer ; l'enjeu n'en vaut pas vraiment la chandelle. Si vous savez les identifier, vous pourrez vous en régaler, mais ne comptez pas sur eux pour couvrir vos besoins caloriques.

LA DÉCROISSANCE

S'INITIER À

INDEX

3212568
ISBN / 978-2-501-15913-5

Achevé d'imprimer en mars 2021 sur les presses d'Estella Graficas.
Dépôt légal : avril 2021

MARABOUT
s'engage pour l'environnement
en réduisant l'empreinte carbone
de ses livres.
Celle de cet exemplaire est de :
2400 g éq. CO$_2$
Rendez-vous sur
www.marabout-durable.fr

PAPIER À BASE DE
FIBRES CERTIFIÉES